Prévenir et surmonter la déprime

Couverture

- Maquette:
  GAÉTAN FORCILLO

Maquette intérieure

- Conception graphique:
  ANDRÉ LALIBERTÉ

DISTRIBUTEURS EXCLUSIFS:

- Pour le Canada:
  AGENCE DE DISTRIBUTION POPULAIRE INC.*
  955, rue Amherst, Montréal H2L 3K4 (tél.: 514-523-1182)
  *Filiale de Sogides Ltée
- Pour la France et l'Afrique:
  INTER-FORUM
  13, rue de la Glacière, 75013 Paris (tél.: 570-1180)
- Pour la Belgique, la Suisse, le Portugal, les pays de l'Est:
  S.A. VANDER
  Avenue des Volontaires, 321, 1150 Bruxelles (tél.: 011-32-276-9806)

Lucien Auger

Prévenir et surmonter la déprime

Centre interdisciplinaire de Montréal Inc.
5055, avenue Gatineau Montréal H3V 1E4 (514) 735-6595

LES ÉDITIONS DE L'HOMME*

CANADA: 955, rue Amherst, Montréal H2L 3K4

*Division de Sogides Ltée

"Nous sommes tous résignés à la mort; c'est à la vie que nous n'arrivons pas à nous résigner."

Graham Greene.

Bibliothèque nationale du Québec
Dépôt légal — 4e trimestre 1984

ISBN 2-7619-0383-8

Introduction

Surmonter la dépression

L'aube commence à poindre rue des Érables. Il est quatre heures trente. Une voiture passe, quelques oiseaux chantent déjà. Une belle journée d'été se lève sur la rue encore endormie.

Au troisième étage d'un édifice anonyme, une chambre. Un lit. Suzanne, les yeux grands ouverts, réveillée depuis deux heures après un sommeil lourd, semé de cauchemars. Les traits tirés, la chevelure éparse sur l'oreiller défraîchi. Depuis des mois, c'est la même chose, depuis que Marcel n'est pas venu à ce rendez-vous qu'ils s'étaient fixé au métro Laurier.

Suzanne est déprimée.

À la même heure, rue de la Montagne, Michel regarde son visage dans la glace de la salle de bain. Les yeux bouffis, une barbe de trois jours, les trois jours qu'il a passés dans son lit, somnolant, se réveillant en sursaut, depuis que M. Lebel, le patron, l'a fait venir dans son bureau pour lui annoncer que "...les affaires sont au ralenti. Vous êtes le dernier arrivé. Nous ne pouvons pas vous garder avec nous plus longtemps. Croyez bien que nous regrettons..."

Michel est déprimé.

Rue Laverdure, Mme C. se réveille avec un mauvais goût dans la bouche. Son mari Jérôme dort comme un loir à ses côtés. Rien ne le trouble, lui. Mme C. écoute sa respiration régulière, profonde. Hier soir, comme d'habitude, il a grommelé un vague bonsoir, s'est tourné sur le côté gauche et s'est endormi en moins d'une minute. Mme C. est restée les yeux ouverts dans le noir, la tête bourdonnante de souvenirs, d'images. Ses mains ont effleuré sa poitrine, glissé le long de ses hanches. Fini le temps où Jérôme lui lisait des poèmes, l'enlaçant de ses bras vigoureux.

Mme C. est déprimée.

Dans le quartier Nord, Monsieur D. pense à la journée qui vient. Se lever, se raser, s'habiller, prendre un café; puis, métro, bureau. Encore faire face au sourire narquois de son adjoint Philippe, celui que le patron a nommé à ce poste sans même le consulter. Encore une journée à entendre ses collègues chuchoter, à surprendre leurs regards de biais... À quoi bon. Encore cinq ans de cette torture. Hier, il a explosé, hurlé à Philippe qu'il ne tolérerait plus ses insinuations. Silence... Regards. En revenant à la maison, son petit Claude n'avait pas fini son devoir de mathématiques. Monsieur D. a encore hurlé, frappé. Silence... Pleurs.

M. D. est déprimé.

Qu'est-ce que ces quatre personnes ont en commun? À cause de divers événements de leur vie, elles sont en proie à de multiples émotions au nombre desquelles on retrouve la tristesse, l'abattement, le désespoir, la culpabilité, l'apitoiement sur soi, le sentiment de ne rien valoir, l'anxiété, le tout formant un ensemble dénommé "dépression".

Ce livre traite de la dépression, de ses caractéristiques, de ses composantes, de ses causes, de son évolution et de ses remèdes. Comme tout le monde se sent déprimé au moins à l'occasion, c'est dire qu'il s'adresse à tout lecteur qui s'intéresse non seulement à l'état dépressif mais qui cherche aussi des moyens de l'atténuer ou même de s'en délivrer. Cet objectif ne pourra être atteint que si j'arrive avec vous à saisir clairement les *causes* de ce phénomène, à établir nettement son origine. Toute méthode visant à guérir la dépression qui ne s'attaquerait pas résolument à ses causes ne constituerait qu'un palliatif dont l'effet final pourrait bien n'être qu'une aggravation de l'état dépressif.

Bien des pages ont été écrites à propos de la dépression, plus pour la décrire et en déplorer les effets que pour tâcher d'élaborer une cure efficace. Cela est sans doute dû au fait que la plupart des auteurs qui ont traité de la dépression ignorent finalement ses véritables causes et même, plus généralement, semblent n'avoir aucune notion précise des mécanismes psychologiques qui soustendent les manifestations émotives chez l'être humain. C'est pourquoi je m'attarderai avec vous à nettement établir les causes des diverses émotions humaines pour ensuite décrire une démarche mentale qui ait quelque chance d'agir efficacement au niveau de ces causes. Seule cette démarche me semble appropriée; si on ne la respecte pas, on tombe dans des conseils faciles, si souvent servis aux déprimés: "Prenez la vie du bon côté..." "Secouez votre inertie..." "Allons, un sourire..."

Tout ce verbiage n'est habituellement d'aucune aide au déprimé ou même, devant son incapacité à profiter de ces conseils, ne fait que le déprimer davantage. Faute de connaître la cause des états dépressifs, le déprimé et ceux qui lui répètent qu'ils ne veulent que son bien s'empêtrent dans des fadaises.

Les proches et amis du déprimé finissent souvent par penser que ce dernier le "fait exprès", qu'il entretient lui-même sa dépression pour satisfaire quelque obscur besoin d'autopunition. Il n'en faut pas plus pour que leur sympathie initiale se transforme d'abord en agacement puis en franche hostilité: "Il ne veut pas s'aider...": "Il n'en tient qu'à lui..." Le déprimé devient la cible de leurs reproches. Frustrés de le voir "s'entêter" dans sa dépression, ils finissent par le rejeter ou le considérer comme un cas incurable faute de bonne volonté de sa part. "Il ne veut pas collaborer" disent-ils, pleins de ressentiment contre ce malheureux qui s'acharne à se nuire à lui-même.

J'affirme ceci: nul homme sur cette terre ne se fait du tort à lui-même délibérément. La recherche du plaisir gouverne à ce point nos actions qu'il est aussi inconcevable pour un être vivant de se nuire à lui-même en le voulant que de faire du bien à autrui sans y voir quelque avantage pour lui-même. On laissera donc de côté le mythe du *déprimé qui veut bien l'être.* Il est immensément plus facile d'expliquer par l'ignorance et l'erreur les comportements autodestructeurs du déprimé. Je ne dis pas que certains déprimés ne retirent pas, à leurs yeux, certains avantages découlant de leur dépression, mais c'est leur prêter une lucidité peu commune que de croire qu'ils entretiennent sciemment et volontairement leur dépression pour jouir des avantages qu'elle leur procure. Une dépression réelle est à ce point douloureuse et pénible que celui qui saurait comment la susciter se garderait bien de le faire, préférant sans aucun doute en simuler les symptômes qu'en supporter les effets.

Livré à lui-même, le déprimé est démuni, même s'il est entouré de proches et d'amis dont on ne mettra pas en doute la bonne volonté et le zèle. Ignorant tout autant qu'eux les causes de son mal, il ne peut guère que s'y enfoncer. "Qu'il consulte un thérapeute", dira-t-on. D'accord. Mais qui? Certains lui recommanderont d'absorber des médicaments; d'autres lui suggéreront des vacances; d'autres encore, de se secouer. Il en est qui lui diront que "ça va passer", que "le temps arrangera tout cela", le renvoyant à une souffrance qui, toute temporaire qu'elle soit, n'en est pas moins douloureuse. S'il demande pourquoi il est déprimé, il recevra les réponses les plus variées et les plus fausses. On lui parlera de son enfance, de ses parents, de son "tempérament", des malheurs de son existence; on lui dira qu'il est déprimé parce que sa femme l'a quitté, ou que son fils est mort, ou qu'il a perdu son emploi, sans se rendre compte que ces explications proclament du même coup l'irréversibilité de son état. Comment, en effet, pourrait-on se débarrasser d'une dépression dont la cause est inaltérable? Ramènera-t-on au foyer l'épouse absente, ramènera-t-on à la vie le fils disparu? Il est pour le moins inquiétant, pour ne pas dire carrément révoltant, d'entendre ces explications proférées par les "spécialistes" qui se targuent de pouvoir aider efficacement le déprimé alors qu'ils ne semblent pas eux-mêmes avoir quelque compréhension des mécanismes responsables de la dépression.

Qu'on ne s'y trompe pas: je n'ai rien inventé, rien découvert, et ce que je vais expliquer ici, je le tiens d'autres chercheurs qui m'ont précédé. Mais j'ai tenté de comprendre, de raisonner, de critiquer. J'ai passé des milliers d'heures à m'entretenir avec des déprimés, de tous âges et de toute condition sociale. Je suis aujourd'hui convaincu que toute cette souffrance est inutile, destructrice et socialement coûteuse, qu'elle peut être évitée en grande partie et qu'IL N'YA HABITUELLEMENT PAS DE RAISON OBJECTIVE POUR QU'UN HOMME DEMEURE LONGTEMPS OU PROFONDÉMENT DÉPRIMÉ. À ceux qui recommandent de laisser passer le temps, je rappellerai que ce n'est pas eux qui portent le poids de la dépression.

Si vous lisez ce livre et que vous êtes vous-même aux prises avec une dépression, prêtez-moi l'oreille quelques heures. Je veux vous montrer d'où cette dépression provient et comment il vous est possible de l'atténuer ou de vous en défaire. Ce ne sera peut-être pas *très* facile, mais votre bonheur ne vaut-il pas quelques heures d'effort? Je veux remercier ici toutes les personnes qui, de près ou de loin, ont collaboré à la rédaction de ces pages. Et d'abord Micheline dont la présence et le soutien ne se sont pas démentis.

Chapitre I

Comment agissez-vous?

Vous voilà dans le monde. Vous n'avez pas demandé à y venir. Tout s'est passé indépendamment de votre choix: un spermatozoïde s'est joint à un ovule et vous avez commencé à exister. De nombreux dangers vous ont menacé depuis votre conception: votre mère aurait pu tomber dans un escalier, glisser sur la glace. Non, rien de cela ne s'est passé. Vous êtes né. Évitant encore tous les dangers qui guettent un jeune bébé, vous avez grandi, vous vous êtes développé. Et vous voilà maintenant à vingt-cinq, quarante ou soixante ans. Depuis bien des années, vous auriez pu quitter l'existence de votre propre chef. Les hommes sont fragiles: nous ne sommes tout de même pas bâtis en acier. Vous avez persisté à vivre, même si la vie vous a apporté votre part d'ennuis, de malheurs, de souffrances. Apparemment, vous tenez à vivre puisque vous êtes encore là alors qu'il existe tant de moyens faciles, indolores et efficaces d'interrompre volontairement votre vie.

Pourquoi vous entêtez-vous à vivre? Vous avez probablement pensé plusieurs fois vous suicider, comme à peu près tout adulte. Pourquoi ne l'avez-vous pas fait? À quoi vous accrochez-vous? Que cherchez-vous donc?

On peut répondre que, comme tous les hommes (et probablement tous les vivants), vous cherchez à "être heureux". Quand vous ne trouvez pas beaucoup de plaisir à vivre, n'est-il pas vrai que vous vous dites que les choses vont s'arranger, que le bonheur va venir à vous?

Et de quoi ce bonheur est-il fait à vos yeux? Fondamentalement, de deux éléments.

D'abord, de la satisfaction de vos désirs. Quand il vous arrive ce que vous désirez, ne vous dites-vous pas heureux? Un emploi? Vous l'obtenez. Un bon repas? Votre assiette déborde. Une maison confortable? Vous voilà installé dans un salon décoré à votre goût dans un confortable fauteuil alors que la chaîne stéréo joue la musique que vous préférez. Ne vous ditez-vous pas heureux? Pas complètement, dites-vous? Oui, bien sûr, parce que vous n'obtenez pas la satisfaction de TOUS vos désirs. L'emploi? Oui, très bien, mais il n'est pas toujours agréable. Le repas? D'accord, mais la soupe était un peu trop chaude. La maison? Oui, bien sûr, mais les taxes foncières sont bien élevées. Le fauteuil est quand même un peu usé, la chaîne stéréo grésille un tout petit peu, le cognac est bon, mais il y en a encore du meilleur, et puis, c'est le fond de la bouteille.

Vous obtenez la satisfaction d'une partie de vos désirs, et, à ce titre, on dira que vous êtes *gratifié.* Mais pour le reste, que vous n'obtenez pas, on dira que vous êtes *frustré.* À chaque seconde de votre vie, vous oscillez entre la gratification complète, jamais atteinte, et la frustration absolue, que vous n'avez jamais connue. Tout se passe comme pour la température. Il n'y a pas de limite à la chaleur pas plus qu'au froid. À 30°C, il peut faire encore plus chaud, comme à -30°C, il peut faire encore plus froid.

Votre gratification augmente ou diminue et votre frustration varie au même rythme.

Vous revenez à la maison après une dure journée au travail; vous voilà bloqué dans la circulation: frustration. Cinq minutes: la frustration augmente. Dix minutes: la frustration augmente encore. Vous allumez la radio: on joue votre air favori: gratification, et diminution de la frustration. Ça recommence à rouler: gratification. Attention, vous dérapez un peu: frustration. Vous devez appliquer les freins brusquement pour ne pas percuter une autre voiture: frustration. Enfin, la route est libre: gratification. Tiens, il se met à neiger un peu: frustration (ou gratification si vous êtes un skieur). Comme vous pouvez le constater, cela change sans arrêt. Votre "thermomètre" gratification-frustration monte et descend au hasard de ce qui vous arrive, selon que cela correspond plus ou moins à vos désirs, à vos goûts.

Certains jours, vous êtes plus frustré que gratifié. Il y a des jours où "tout" va mal. Vous perdez votre emploi, votre femme vous quitte pour s'enfuir avec celui que vous croyiez être votre meilleur ami, la banque vous avertit qu'elle vous refuse une marge de crédit, votre fils se casse une jambe et en plus vous traite de crétin, le chien urine sur la moquette et votre médecin vous annonce que vous êtes atteint du cancer.

D'autres jours, "tout" va bien. Il fait beau, vous remportez un championnat de golf, vous gagnez sept millions à la loterie, votre mari vous annonce des vacances de rêve et votre belle-mère (que vous n'aimez guère) remet sa visite à plus tard.

Ce n'est jamais ni la gratification totale ni la frustration complète, comme pour la température. Mais, tout de même, cela peut être *plus* agréable que désagréable, comme cela peut être plus désagréable qu'agréable.

Mais ce n'est pas tout. Votre bonheur n'est pas fait seulement de gratification ni votre malheur seulement de frustration. Il y a encore toutes vos ÉMOTIONS.

Vous savez ce que c'est qu'une émotion. Je ne veux pas faire ici de définition technique compliquée. Vous savez que vous RESSENTEZ diverses choses, que vous vous SENTEZ joyeux, triste, calme, en colère, anxieux, jaloux, apeuré, inférieur, supérieur, coupable, plein de regrets, serein, détendu, et le reste.

Quelques minutes de réflexion vous permettront de saisir jusqu'à quel point vos émotions font partie de votre plaisir de vivre, de votre bonheur ou, au contraire, de votre malheur. En effet, les émotions se distinguent les unes des autres par le fait que certaines sont ressenties comme AGRÉABLES et d'autres comme DÉSAGRÉABLES.

N'est-il pas agréable de se sentir joyeux, détendu, serein, calme? Et, au contraire, quel plaisir y a-t-il à ressentir de la peur, de l'anxiété, de la culpabilité, de la dépression, de la tristesse? Si on pouvait vous promettre une vie où vous ne vous sentiriez jamais ni triste, ni coupable, ni anxieux, ni abattu, ne seriez-vous pas preneur?

Par ailleurs, la gratification et la frustration dont j'ai déjà parlé *ne sont pas* des émotions. Je sais que bien des gens utilisent l'expression "se sentir frustré" mais il s'agit là d'une erreur malheureusement très répandue qu'il convient maintenant d'éclaircir.

La gratification et la frustration sont des ÉTATS neutres. Vous êtes Canadien, Français, Suisse ou Américain sans pour autant ressentir d'émotions. Vous pouvez aussi connaître ou ignorer un fait quelconque sans pour autant en ressentir quelque émotion que ce soit. Connaissez-vous la date de naissance de mon voisin? Non? Vous ignorez ce détail. Ressentez-vous quelque émotion? Ça m'étonnerait. Et la reine Victoria avait-elle toutes ses dents à l'âge de vingt-deux ans? Vous l'ignorez? Sentez-vous encore quelque émotion? Eh bien!

Il en est de même pour la gratification et la frustration. Dans un cas comme dans l'autre, il s'agit d'états psychologiques neutres dans lesquels se trouve un homme selon que ses désirs sont satisfaits ou non.

Pour *être* (et non se sentir) gratifié ou frustré, il faut d'abord *désirer* quelque chose. De plus, cette chose doit vous être accordée ou refusée. Dans le premier cas, vous êtes dans un *état* de gratification, et dans le second, dans un état de frustration. Mais vous ne sentez toujours rien. Vous en voulez la preuve? La voici.

Je suppose que vous désiriez manger une soupe au choux ce soir. Il est cinq heures de l'après-midi et vous êtes au travail. À ce même moment, votre femme met sur le feu une soupe aux tomates. À ce même moment, vous vous trouvez dans un état de *frustration*, mais vous n'en savez rien encore. Sentez-vous quelque chose? L'accomplissement de votre désir vous est pourtant refusé: vous êtes frustré mais ne ressentez rien.

À l'inverse, je suppose que vous désiriez gagner le gros lot à la loterie. On tire votre billet à midi mais vous n'apprenez la nouvelle qu'à six heures. Vous êtes dans un état de *gratification* depuis midi, à la seconde même où l'on a tiré votre numéro. Avez-vous ressenti quelque émotion à midi? Sûrement pas et pourtant vous étiez déjà gratifié, mais sans en rien savoir.

Ainsi donc, que vous soyez gratifié ou frustré, ce fait ne peut causer ou entraîner en vous aucune émotion, aucun sentiment. Comment se fait-il dès lors que vous vous sentiez, disons, joyeux quand vous savez que vous êtes gratifié et triste quand vous apprenez que vous êtes frustré? Quelle est donc la cause de ces émotions?

La question ne présente pas seulement un intérêt académique, comme de savoir si la femme de Socrate avait mauvais caractère ou si le général de Gaulle mangeait des brioches au petit déjeuner. On peut vivre remarquablement heureux en ignorant pour toujours la réponse à une foule de questions. Neigea-t-il le 23 février 1942 à Paris? Qui était vraiment la femme de Pépin le Bref? Voilà des questions dont les réponses ne peuvent guère affecter le bonheur des gens.

Il n'en est pas toujours ainsi. Si vous ignorez quel robinet dispense l'eau chaude dans la douche de votre hôtel, vous risquez de vous ébouillanter. Il vaut mieux que vous sachiez distinguer le frein de l'accélérateur dans votre voiture.

De même, il est important que vous sachiez d'où proviennent vos émotions. Leur importance pour votre bonheur personnel ne peut être minimisée. Si vous connaissez leur origine, leur cause, il vous devient alors possible de contrôler vos émotions, c'est-à-dire d'augmenter l'intensité de celles qui vous sont bénéfiques et de diminuer ou d'éliminer celles qui ne vous apportent que souffrance.

Après tout, n'êtes-vous pas bien aise de savoir que, grâce au thermostat de votre appartement, il vous est loisible d'augmenter ou de diminuer la température, de la régler selon votre bon plaisir?

Il en va de même pour vos émotions. Si vous ignorez leur cause, leur origine, n'en êtes-vous pas prisonnier, réduit à endurer la présence de celles qui vous déplaisent et à espérer la venue de celles qui vous plaisent, sans pouvoir vraiment contrôler leur présence, leur intensité, leur durée? Si vous connaissiez la cause de vos émotions, vous n'en seriez pas prisonnier.

Bien des gens pensent que les émotions sont causées par quelque événement passé ou présent qui affecte la vie de la personne. Ne prenons qu'un exemple.

G.F. se présente à mon bureau. Trente-deux ans, marié, un enfant.

G.F. Ça ne va vraiment pas, surtout à mon travail. Si ça continue, je vais peut-être perdre mon emploi. Et, avec la crise de chômage actuelle, je ne peux vraiment pas envisager cela.

L.A. Bon. Qu'est-ce qui ne va pas au travail?

G.F. Tout, ou à peu près. Je suis représentant pour la compagnie Z; ils fabriquent des tondeuses à gazon électriques. Mon travail consiste à faire la tournée de nos dépositaires et à leur vendre ces machines. Mais voilà, je suis trop timide. Je m'empêtre dans mes mots, je rate des ventes. Pas plus tard qu'hier, mon patron m'a averti que mon emploi était menacé. J'ai besoin d'aide et vite.

L.A. En effet, votre timidité risque de vous coûter cher. Comment se fait-il que vous vous comportiez de façon aussi peu décidée, à votre propre désavantage?

G.F. Je vais vous le dire. Je sais pourquoi je suis ainsi.

L.A. Tant mieux. Si vous connaissez la cause de votre timidité, cela devrait vous être très utile.

G.F. C'est que j'ai été élevé comme ça. Depuis aussi longtemps que je me souvienne, mes parents m'ont toujours ridiculisé, rejeté; mon père ne cessait de me dire que je n'étais qu'un bon à rien, ma mère disait que je n'arriverais jamais à rien de bon; mon frère me traitait de retardé et ma soeur d'imbécile. À l'école, c'était la même chose. Personne ne voulait jouer avec moi; on me laissait de côté. Les professeurs se moquaient de moi en classe. J'en ai fait un complexe. C'est pour ça que je suis si timide et hésitant aujourd'hui.

L.A. Est-ce que je vous comprends bien? Vous me dites que votre timidité actuelle est causée par ce qui s'est passé dans votre enfance?

G.F. Bien sûr. C'était d'ailleurs aussi l'avis du Dr M.C. que j'ai consulté il y a deux ans pour le même problème. Il me disait: "Avec l'enfance que vous avez vécue, il n'est pas étonnant que vous soyez si peu confiant en vous-même."

L.A. Eh bien, qu'attendez-vous de moi, monsieur F.?

G.F. Que vous m'aidiez à me défaire de cette timidité qui me paralyse.

L.A. Je voudrais bien vous aider, mais vous venez vous-même de me déclarer que c'était impossible.

G.F. Comment donc? Je n'ai rien dit de tel. Au contraire, ma présence dans votre bureau atteste que je crois que vous pouvez m'aider. Je ferais n'importe quoi pour être moins timide et refoulé.

L.A. D'accord, mais vous l'avez dit vous-même, la CAUSE de votre timidité se trouve dans votre enfance.

G.F. Oui. Et alors?

L.A. À votre avis, peut-on changer un effet si on ne peut pas changer la cause?

G.F. Euh... Non, je ne pense pas.

L.A. Et pouvez-vous changer votre enfance? Est-il possible de vous ramener au sein maternel, de vous trouver un père, une mère, un frère, une soeur différents, de vous créer une école différente de celle que vous avez fréquentée? Si, comme vous le dites, la cause de votre timidité se trouve dans votre passé et que ni vous ni moi ne pouvons changer quoi que ce soit à ce passé, j'en conclus qu'il n'y a rien à faire d'utile. Vous mourrez timide dans vingt, trente ou cinquante années et jamais vous ne vous débarrasserez de votre timidité puisque nous ne pouvons pas toucher à sa cause.

G.F. Mais alors, c'est affreux. Il n'y a rien à faire. Je suis incurable.

L.. En effet, *si vous avez raison* et que la véritable cause de votre timidité se trouve dans votre enfance. Nul ne change son passé, on ne peut plus y revenir, il est inaltérable.

G.F. Mais alors, à quoi cela sert-il de consulter un spécialiste comme vous?

L.A. À rien, si ce n'est à vider votre compte de banque. Tout cela, bien sûr, *si vous avez raison* et que la cause de votre timidité reste hors de portée. Nous pouvons nous rencontrer pendant des centaines d'heures, vous pouvez hurler votre révolte, me raconter dans le menu détail votre vie passée ou présente, maudire vos père, mère, frère et soeur, menacer de vous suicider, pester contre le sort ingrat qui est le vôtre, tout cela n'y changera rien, toujours *si vous avez raison*.

Le diagnostic que pose G.F. sur les causes de son trouble émotif est extrêmement répandu et populaire. On le retrouve sur les lèvres de presque tout le monde, dans des phrases comme: "La mort de mon père m'attriste", "La jalousie de mon mari m'énerve", "Mon patron me met en colère", "L'ingratitude de mes enfants me révolte", "La situation économique me déprime", "Mes échecs m'écrasent et me découragent".

Chaque fois, un événement quelconque est identifié comme la cause d'un état émotif donné. La mort du père CAUSE la tristesse du fils; la jalousie du mari CAUSE l'énervement de l'épouse; l'attitude du patron CAUSE la colère de l'employé; l'ingratitude des enfants CAUSE la révolte de la mère; la situation économique CAUSE la dépression du contribuable, les échecs de Gaston CAUSENT son accablement et son découragement.

Pourtant il n'est guère difficile de démontrer l'inanité de cette théorie, malgré son apparente solidité. Au cours de mes conversations avec les personnes qui me consultent, j'ai utilisé diverses démonstrations. Je vous en propose quelques-unes.

1. Comment se fait-il que diverses personnes n'ont pas la même réaction émotive devant le même événement, par exemple une émission de télévision, un film, un accident, le décès d'un membre de la famille, une visite, et quoi d'autre encore?

Comment croire qu'un film fait rire les uns et pleurer les autres, qu'un accident affole certains et en laisse d'autres calmes, que la mort de Paul génère de la tristesse chez sa femme, de la joie chez son voisin et de la culpabilité chez son fils? Si la tante Berthe vient visiter la famille, les uns se sentent anxieux, les autres réjouis, d'autres encore ne ressentent rien. Comment un événement pourrait-il produire des effets aussi divers chez diverses personnes?

2. Comment un événement peut-il causer chez la même personne des sentiments successifs différents? Comment se fait-il qu'après le départ de sa femme au bras de son meilleur ami, Jean-Paul se sente d'abord déprimé, puis qu'il ressente de la rage, ensuite de la tristesse et enfin de la joie? Tout cela en deux heures ou deux ans.

Si les sentiments de Jean-Paul changent alors que leur présumée cause ne change pas, comment peut-on croire que ses divers sentiments sont *causés* par le même événement?

3. Comment expliquer encore que le même événement, se produisant plusieurs fois, ne cause pas la même émotion chez la même personne? Ainsi, en entrant à la maison, Claude trébuche sur les jouets du petit. Lundi, il se met en rage. Mardi, il se sent triste. Mer-

credi, il devient anxieux. Jeudi, il se sent coupable. Vendredi, il est déprimé. Samedi, il ne trébuche pas sur les jouets du petit et pourtant, il se sent, au cours de la même journée, en colère, triste, anxieux, coupable et déprimé. L'événement est le même, et pourtant les émotions qu'il suscite ne sont pas identiques. Comment croire qu'il en soit la cause?

4. Comment expliquer que, à propos du même événement, les émotions d'une même personne changent, en quelques secondes parfois. Il est deux heures du matin. Le téléphone sonne sur la table de chevet de Pauline. Réveillée en sursaut, elle ressent d'abord de l'anxiété. Elle décroche pour entendre son amant lui annoncer qu'il a finalement décidé de vivre avec elle de façon permanente, ce qu'elle le suppliait de faire depuis des mois. Son anxiété disparaît pour faire place à une joie intense. Dira-t-on que son anxiété était causée par la sonnerie du téléphone? Comment se peut-il alors que son anxiété ait disparu après l'appel? Et comment se fait-il que Pauline ne ressente pas d'anxiété chaque fois que le téléphone sonne. Dira-t-on que c'est la combinaison de la sonnerie et de l'heure tardive qui cause l'anxiété? Comment se fait-il alors que les téléphonistes de nuit de la compagnie du téléphone ne soient pas pétrifiées d'anxiété, elles qui entendent le téléphone sonner toute la nuit?

Si on affirme sans nuance que les événements causent les émotions, on se trompe. Il vaut mieux chercher cette cause ailleurs.

Cette cause, nous la trouverons, non pas dans les événements eux-mêmes, mais dans les INTERPRÉTATIONS, les CROYANCES, les IDÉES que chacun a à propos de n'importe quel événement. Ce sont ces *contenus cognitifs* qui sont les véritables causes des réactions émotives, et non pas les événements eux-mêmes, dont le rôle se borne à être l'OCCASION qui déclenchera des émotions. L'OCCASION est passive, la CAUSE est active, productrice d'effets. Ainsi, quand je m'assois dans un fauteuil, ce dernier est pour moi *l'occasion* de m'asseoir, mais c'est moi qui suis l'auteur, la cause du geste. Le papier est une occasion d'écrire. C'est moi qui écris *sur* le papier. Ce n'est pas le papier qui produit l'écriture ou qui même me fait écrire.

Voici donc comment vous agissez comme être humain. Les éléments, intérieurs ou extérieurs,se produisent, selon notre volonté ou indépendamment d'elle. Ils ne causent rien, ne déclenchent rien en nous mais nous offrent l'occasion de formuler à leur propos quelque interprétation, croyance ou idée.

À leur tour, ces interprétations, croyances ou idées CAUSENT directement en nous l'émotion et en déterminent le type, l'intensité, la durée. Il est donc exact de dire que nous sommes les seuls auteurs de nos états émotifs, agréables comme désagréables, par le truchement de notre pensée. L'émotion sera présente en nous tant que sera présente en notre esprit l'idée qui l'a causée et elle disparaîtra quand disparaîtra cette idée.

Il nous reste à mettre en place le dernier élément de cette chaîne. L'émotion agit comme un moteur de l'action ou de l'abstention. Nous n'agissons jamais que sous le coup de l'émotion et, s'il semble en être autrement, c'est sans doute parce qu'on a écarté du domaine de l'émotion des éléments comme le désir, le calme, la sérénité. Pourtant, il s'agit là d'authentiques émotions, créées par des idées et des conceptions et qui nous déterminent à agir d'une manière ou d'une autre. Une fois que l'interprétation est en place et tant qu'elle n'est pas modifiée, le processus se déroule de façon automatique et inéluctable, sans que rien au monde ne puisse en faire varier le déroulement. La chaîne interprétation - émotion - action est rigoureusement infrangible.

Quelques exemples pour illustrer ce qui précède:

1. Anne voit un gros chien venir vers elle. Cette VUE ne cause en elle aucune émotion. L'image du chien s'imprime sur sa rétine et c'est tout. Cependant, à l'OCCASION de cette vision, se déclenchent en Anne diverses INTERPRÉTATIONS, se font jour diverses CROYANCES, jaillissent diverses IDÉES: "Ce chien est méchant. Il va me mordre. Je vais horriblement souffrir." Avec de telles idées en tête, il est fatal qu'Anne ressente de la PEUR et que cette peur se manifeste chez elle par une ou plusieurs actions: hésitation de la démarche, fuite, cris, accélération cardiaque, et le reste. OCCASION: la vue du chien. CAUSE: les idées que se fait Anne à propos du chien. EFFET ÉMOTIF: la peur d'Anne. ACTION: la fuite d'Anne.

2. Charles voit le même gros chien venir vers lui. L'occasion est donc la même. Mais il ne pense pas comme Anne. Ses idées sont les suivantes: "Quel bel animal, et comme il a l'air amical. C'est sans doute un bon gros chien affectueux." En conséquence, Charles se sent paisible, calme et même joyeux. Ces émotions le portent à s'avancer vers le chien et à le caresser. OCCASION: la vision du chien. CAUSE: les idées

de Charles. EFFET ÉMOTIF: paix, calme, joie. ACTION: flatter le chien.

3. Anne revoit un gros chien venir vers elle. Elle a d'abord peur et se prépare à fuir, parce qu'elle a d'abord les mêmes idées que précédemment. Cependant, elle reconnaît Médor, le pacifique saint-bernard de son oncle avec lequel elle a souvent joué. Sa peur disparaît parce que son interprétation change. Elle se dit: "C'est ce bon vieux Médor, si gentil et si doux. Il n'est aucunement dangereux et ne ferait pas de mal à une mouche." Son mouvement initial de fuite s'interrompt et elle se porte avec joie à la rencontre de Médor.

En faut-il plus pour démontrer que la vue d'un chien ne CAUSE de peur, de joie, d'anxiété ou quelque autre émotion à quiconque mais que les idées et les conceptions de chaque personne déterminent la présence, le type, la durée et l'intensité des émotions ressenties à l'OCCASION d'un événement.

Il en est ainsi pour toutes les émotions que vous éprouvez et éprouverez durant toute votre vie. Elles sont et seront toujours causées par vos idées et conceptions et jamais par les événements eux-mêmes, fussent-ils un tremblement de terre, une guerre nucléaire, la mort de votre conjoint, votre faillite financière ou quoi que ce soit d'autre. Rien au monde ne peut susciter une émotion en vous, si ce n'est les idées que vous vous faites à propos de ce qui se passe en vous ou autour de vous.

Faisons un pas de plus. Vous admettrez facilement que chacun de nous peut se tromper dans l'interprétation des événements. Nous révisons souvent nos propres idées initiales quand nous nous apercevons que nous faisons fausse route.

Il est dès lors possible de classer les idées et croyances en trois catégories: vraies, ou réalistes, quand ces idées décrivent adéquatement ce qui est; fausses, ou irréalistes, quand ces idées s'écartent totalement ou en partie de ce qui est; et douteuses, quand nous n'arrivons pas à savoir avec certitude si une idée se classe dans la première ou la seconde catégorie. Ainsi, si je dis que l'eau éteint un feu de bois, mon idée est vraie. Je SAIS qu'elle est vraie parce que je peux prouver expérimentalement ce que j'affirme en versant un seau d'eau sur une bûche enflammée. Par ailleurs, si je dis que l'essence éteint les feux de bois, mon idée est fausse et je peux encore le démontrer expérimentalement. Enfin, si je dis que demain il fera beau, je suis dans le doute. Il n'existe pas de moyens pour moi de démontrer hors de tout doute ce que je viens d'affirmer. Je ne connais pas le futur et peux tout au plus affirmer que demain il fera *peut-être* beau, qu'il est probable (à 70, 80, 90 pour cent) qu'il fera beau, que je suis presque certain qu'il fera beau. Il en est ainsi pour n'importe quelle idée ou croyance: chacune ne peut être que vraie, fausse ou douteuse.

Qu'une idée soit vraie, fausse ou douteuse n'affecte en rien sa capacité de susciter une ou plusieurs émotions. Il n'y a pas de vraies ou de fausses émotions: il n'existe que des émotions suscitées par des idées vraies, fausses ou douteuses.

Mais voici qui devient intéressant. Vous concevrez facilement qu'il est possible qu'une émotion *désagréable* soit suscitée par une idée par ailleurs *fausse.* Les exemples ne manquent pas. Un orage soudain s'abat sur la maison; Louise se précipite à l'étage pour fermer les fenêtres avant que la pluie ne trempe les tapis. Or, les fenêtres sont fermées et pas une goutte d'eau ne pénètre dans la maison. L'émotion de Louise (peur) a été suscitée par une idée fausse: "Les fenêtres sont ouvertes. La pluie va pénétrer dans la maison." Le petit Gaston couché dans son lit est glacé d'effroi, croyant qu'un fantôme frappe à la fenêtre. Mais ce n'est qu'une branche agitée par le vent. Encore une erreur mais qui cause une émotion plus ou moins violente. Claude reçoit une lettre dont il peut déceler par le cachet qu'elle provient des services de l'impôt fédéral. L'inquiétude s'empare de lui, parce qu'il croit que cette lettre contient quelque nouvelle désagréable. En l'ouvrant, il constate qu'il ne s'agit que d'un avis général et d'une circulaire envoyés à tous les contribuables. Une autre émotion désagréable causée par une idée fausse.

Il n'en faut pas plus pour conclure qu'un être humain qui ne veut pas ressentir inutilement des émotions pénibles ferait bien de soumettre à une critique sévère les idées qui ne lui apportent que des ennuis émotifs. S'il fallait qu'elles soient fausses? Ne se serait-il pas causé à lui-même plus d'ennuis que de raison et ne pourrait-il pas alors abandonner ces idées pour se délivrer de leurs effets désagréables? N'est-il pas possible que, sans le vouloir ou même sans s'en apercevoir, nous recelions dans notre esprit une foule de notions, croyances, conceptions radicalement fausses mais auxquelles nous adhérons par habitude, parce que "tout le monde pense ainsi", parce que c'est ce qu'on nous a appris quand nous étions jeunes et que nous n'avons jamais révisé ces croyances. Et n'est-il pas vrai que souvent ces diverses croyances sont à la source d'émotions pénibles et désagréables avec lesquelles nous nous empoisonnons la vie?

À ce propos, voici une petite histoire que je raconte souvent à ceux qui me consultent pour les aider à prendre conscience des effets parfois désastreux des idées fausses.

Jadis, sur le bord d'une large rivière, vivait une tribu d'aborigènes qui vivaient largement des produits de la chasse. Depuis des siècles, la tribu occupait le même territoire; la faune était abondante et les indigènes ne manquaient de rien. Comme toutes les tribus, celle-ci avait son système de croyances sociales et religieuses, élaborées au cours des siècles et soigneusement préservées par la tradition transmise par les anciens. Les jeunes devaient s'incliner devant les vieillards, les hommes allaient à la chasse pendant que les femmes s'occupaient des jeunes enfants. À chaque nouvelle lune, on sacrifiait une bête quelconque aux dieux de la tribu. Parmi les diverses croyances de la tribu, il en était une qui interdisait à quiconque de franchir la rivière. Les dieux, disait-on, l'interdisaient et frapperaient de mort tout audacieux qui s'aventurerait sur l'autre rive.

Tout alla bien jusqu'à ce que quelque migration ou maladie ne vînt décimer les animaux dont la tribu tirait sa subsistance.

Le gibier se fit rare puis, graduellement, disparut tout à fait du côté de la rivière occupé par la tribu. Cependant, il était facile de constater que, de l'autre côté de la rivière, le côté interdit, la faune était abondante. Ils voyaient antilopes, cerfs et autres animaux comestibles venir boire à la rivière et s'ébattre dans les roseaux. Pendant ce temps, la tribu déclinait, la famine régnait mais nul n'osait traverser la rivière, tant était forte la croyance selon laquelle il était interdit et mortel de le faire.

Cependant, par une nuit sans lune, trois jeunes hommes tenaillés par la faim traversent la rivière dans une barque, tremblant et pensant à chaque moment être frappés par les dieux. Il n'en est rien; ils abordent l'autre rive, font une chasse fructueuse et reviennent au village chargés de gibier, à la stupéfaction et à la joie générales. On brûle le temple du dieu de la rivière, on fait brûler les idoles et, sur le feu, on fait rôtir le gibier.

Une histoire, direz-vous, mais n'est-il pas vrai qu'elle illustre combien il nous est possible de nous laisser berner, de croire aveuglément des faussetés et de nous compliquer une vie déjà pas très facile? On a dit, et je suis bien d'accord, que l'ignorance est la source de bien des maux, mais pire encore, l'ignorance nous fait adhérer naïvement à des croyances toutes faites véhiculées par la culture.

Beaucoup de ces croyances ne reposent sur rien de solide, ne constituent que des préjugés inlassablement répétés. Le mal ne serait pas si grand si ces croyances et idées ne suscitaient en nous des émotions puissantes, débilitantes, destructrices, sources d'actions désordonnées, détruisant sans raison des vies qui autrement auraient pu être heureuses, ou du moins, moins malheureuses.

Dans ce chapitre, j'ai exploré avec vous l'importance des émotions pour notre bonheur. En les distinguant de la frustration, j'ai montré comment elles pouvaient influencer votre façon de vous comporter de manière déterminante. J'ai cherché avec vous la cause de ces états émotifs et je l'ai trouvée dans les idées, conceptions et croyances reliées aux divers éléments de notre vie. Enfin, j'ai attiré votre attention sur la possibilité réelle que des idées fausses soient responsables de beaucoup de nos émotions désagréables et donc, d'un agissement contraire à nos intérêts. M'appuyant sur ce que je viens de démontrer, je vais maintenant passer à l'examen des phénomènes dépressifs et à la critique des idées et croyances qui les sous-tendent.

Chapitre II

Les émotions dépressives

Comme je l'ai déjà mentionné, la dépression constitue un état émotif complexe auquel participent plusieurs émotions négatives. Je me propose de les explorer successivement avec vous, de sonder leurs bases cognitives et de traiter de la validité et du fondement des diverses idées et croyances qui les causent.

Je commence par l'émotion qui a donné son nom à l'état dépressif dans son ensemble: la *dépression.*

"L'émotion dépression"

Cette émotion sera suscitée chez toute personne qui croit que sa *valeur* personnelle, ce qu'elle vaut comme être humain subit une diminution plus ou moins importante. La personne qui se sent déprimée croit toujours qu'elle ne vaut pas cher, ou qu'elle est moins valable qu'elle ne l'était auparavant. Si elle croit que sa valeur est inférieure à celle d'une quelconque autre personne, elle se sentira INFÉRIEURE à cette personne.

Il est important de s'attarder à cette notion de valeur pour tenter d'y voir un peu clair. Posons-nous carrément la question: les choses, les gens, les animaux valent-ils quelque chose?

Au premier abord, il semble que oui, et que, de plus, cette valeur est inégale. On dira: une once d'or vaut plus qu'une once de fer, un pur sang vaut plus qu'une vieille rosse, un chirurgien expérimenté vaut plus qu'un clochard, un verre d'eau vaut moins qu'un verre de cognac.

Le monde étant un vaste marché où tout s'achète et se vend, sauf les êtres humains, du moins explicitement et depuis quelques années seulement, nous pouvons nous demander s'il y a quelque chose dans l'or qui fait qu'il ait en *lui-même* une plus grande valeur que le fer.

Il est clair que l'or et le fer n'ont pas les mêmes propriétés et ne se prêtent pas aux mêmes usages. De plus, l'or est présent dans la nature en quantité immensément plus restreinte que le fer. Nous sommes en présence de deux métaux, l'un rare, l'autre commun. Ce qui est rare se vend souvent plus cher que ce qui est commun, tout simplement à cause de la surenchère à laquelle se livrent entre eux les nombreux acheteurs pour s'accaparer le stock restreint disponible. N'importe quelle mère de famille sait que les légumes coûtent plus cher en hiver, en partie parce que les quantités disponibles sont moins abondantes qu'en été. À cette rareté s'ajoutent les frais d'importation, de transport, de douane, etc. Parce qu'il y a moins de produits à vendre, le vendeur hausse ses prix, voulant protéger sa marge de bénéfice. Parce que les prix sont élevés, certains acheteurs se résignent à attendre des prix moins élevés. Si le nombre d'acheteurs qui se désistent est assez important, le vendeur devra baisser ses prix, sous peine de rester avec ses produits sur les bras. Le marché s'équilibre. Mais comme vous le voyez, il n'y a rien dans les carottes qui les rende plus "valables" en hiver qu'en été. La valeur que les carottes ont, leur prix, est celui qui leur est attribué par les conditions du marché.

Laissons de côté l'or, le fer et les carottes, et passons aux êtres humains. Un humain vaut-il quelque chose, et si oui, quoi?

Il est d'abord clair que tous les humains ne sont pas dotés des mêmes caractéristiques et aussi qu'un être humain ne possède pas les mêmes caractéristiques à différents moments de son existence. Les uns sont gros, les autres maigres, les uns instruits, les autres ignorants, les uns jeunes et vigoureux, les autres vieux et usés. C'est donc dire que selon les milieux, les gens qu'ils rencontrent et avec lesquels ils ont des rapports, ils seront dits plus ou moins "valables" selon les caractéristiques qu'ils possèdent à un moment donné et selon les expectatives de leurs "consommateurs".

Qui vaut mieux? Un dentiste ou un plombier? Si vous avez une rage de dents, vous *attribuerez* plus de valeur au dentiste mais si vos tuyaux éclatent, c'est le plombier que vous préférerez.

J'ai souvent proposé à mes clients le problème suivant. Je vous présente deux êtres humains:

1. 76 ans, âgé, usé, frêle. Deux prix Nobel, en biologie et en médecine. Découvreur de la cure du cancer.
2. 23 ans, fort, musclé. Deux assassinats, trois viols de

fillettes innocentes qu'il a ensuite égorgées sadiquement.

Qui vaut mieux? Qui est le plus valable? Qui est le meilleur des deux? Beaucoup de gens me répondent: "C'est évidemment le premier, l'autre n'est qu'un scélérat." Et pourtant, il est simple d'imaginer des circonstances dans lesquelles vous-même choisiriez le second. Votre bateau coule dans une tempête. Il n'y a que trois survivants: vous et les deux personnes précédemment décrites. Vous voilà blessé, les bras cassés, allongé dans une petite embarcation qui ne peut recevoir que deux personnes; il y a une paire d'avirons, le vent souffle contre vous, la côte est à vingt kilomètres et vous ne voulez pas mourir. À qui donc demanderez-vous de monter avec vous dans le canot? Au "savant"? À l'"assassin"? Parions que vous choisirez celui qui possède les caractéristiques qui, à ce moment, correspondent à vos préférences, à vos désirs. L'assassin est-il donc devenu un sauveur? Et le "savant" a-t-il perdu toute valeur? En a-t-il jamais eu d'autre que celle que vous lui attribuiez?

Si vous y pensez un peu, je pense que vous arriverez à la conclusion que les choses, les animaux et les gens n'ont *en eux-mêmes* aucune valeur dont il soit possible de démontrer l'existence. Cette fameuse *valeur intrinsèque* ne constitue finalement qu'un concept dont on ne peut pas démontrer qu'il repose sur autre chose qu'une construction de l'esprit. Reste la *valeur extrinsèque*, extérieure, sans cesse variable au hasard des circonstances, tantôt élevée, tantôt nulle. Cette valeur n'est pas rattachée à la nature de l'être (être humain, être animal, être végétal, être minéral) mais découle *uniquement* de la rencontre de ses caractéristiques (variables et aléatoires) avec les désirs des autres (tout aussi variables et aléatoires).

Pour ne nous en tenir qu'aux humains, nous arrivons à la conclusion que s'*ils* ont une valeur en *eux-mêmes*, cette valeur est reliée à leur nature et en découle, ainsi qu'à leur état d'êtres humains. Comme cette nature ne saurait en aucune façon varier, la valeur qui en découlerait ne pourrait elle non plus ni augmenter ni diminuer. Le "meurtrier" est un être humain. En fait, le "meurtrier" n'existe pas. Il existe un homme qui, entre autres choses, a tué un ou plusieurs autres êtres humains. Voilà ce qu'on appelle un meurtrier. Mais le nom qu'on décerne à un être ne constitue ou ne décrit pas toujours sa NATURE. C'est ainsi qu'il n'existe pas à proprement parler de pharmaciens, de dentistes, de mécaniciens, de meurtriers ou de savants. Il existe divers hommes qu'on dénomme ainsi, à partir de certaines de leurs caractéristiques ou de certains de leurs actes. Mais l'acte ou la caractéristique ne *sont pas* la personne, pas plus que l'auteur n'est le livre qu'il écrit ni l'artisan, la table qu'il façonne.

Comme la dépression origine d'une diminution présumée de la valeur personnelle, j'en conclus qu'un humain qui garderait clairement à l'esprit la notion que sa valeur personnelle ne peut jamais diminuer non plus que grandir ne connaîtrait jamais cette émotion.

"Mais, dira-t-on, n'est-il pas déprimant de constater qu'on n'est plus utile pour personne, qu'on ne joue plus aucun rôle productif dans la société? N'est-il pas vrai, par exemple, que les vieillards infirmes cèdent à la dépression justement parce qu'ils ne servent plus à rien?"

Pas du tout. D'abord, tous les vieillards "inutiles" ne se dépriment pas et, de plus, bon nombre de gens non âgés fort utiles à la société se dépriment quand même. La question n'est pas là. Elle se trouve plutôt dans l'illusion si fréquente que les gens utiles sont meilleurs en eux-mêmes que ceux qui ne le sont pas. Comme presque tout le monde partage cette illusion, il ne sera pas rare de voir des gens "inutiles" se déprimer. Mais il est crucial de comprendre que s'ils se dépriment, ce n'est pas parce qu'ils se perçoivent inutiles, mais parce qu'ils tirent l'aberrante conclusion qu'ainsi ils sont *moins bons* que s'ils étaient utiles. Voilà la racine de leur dépression. Je comprends qu'une personne qui ne sert presque à rien ni à personne s'ennuie, trouve la vie monotone, regrette les activités qui lui servaient jadis à meubler son temps de façon agréable et rentable. Mais de là à se déprimer, à céder à l'"*émotion*", il y a une différence importante.

L'"émotion dépression" est souvent la rançon de l'émotion inverse, qui consiste pour un être humain à se sentir bon, valable. Il en est ainsi parce que les deux émotions découlent du même mécanisme cognitif par lequel un être humain tente de s'évaluer, de se jauger lui-même. Régulièrement les hommes semblent tirer cette conclusion de l'observation de leurs succès ou de leurs échecs ou, encore, du degré d'affection et d'approbation dont ils se croient l'objet. Quand Luc réussit à construire une armoire, il se dit qu'il est bon, sans se rendre compte qu'il se prépare ainsi à se dire qu'il est mauvais le jour ou il conclura qu'il a raté son objectif. Celui qui monte dans l'échelle s'entraîne par le fait même à la redescendre. De nombreuses personnes semblent ainsi vivre une série de montagnes russes émotives, gravissant avec peine la pente de la surévaluation de leur valeur personnelle pour ensuite, peu de temps après, débouler cette même pente, pour ensuite recommencer de plus belle ce manège où la bêtise rivalise avec l'épuisement.

Quand Nicole déplaît à ses compagnes de travail, elle conclut facilement qu'elle n'est pas bonne alors qu'en vérité, on ne peut que dire qu'elle ne leur plaît pas, de façon transitoire ou permanente. Après tout, si vous n'aimez pas les courgettes, ces dernières n'en deviennent pas mauvaises pour autant et si vous me dites qu'elles sont mauvaises pour vous, je vous répondrai que vous prenez votre opinion, quelque légitime qu'elle soit, pour des faits, ce qui constitue une aberration logique. Celui qui plaît n'est *pas* nécessairement bon, celui qui déplaît n'est *pas* nécessairement mauvais. Ni l'un ni l'autre n'ont de valeur personnelle intrinsèque et leur valeur extrinsèque ne dépend qu'en partie d'eux. Je sais bien qu'il peut être ennuyeux, désavantageux ou même mortel de déplaire à certaines personnes, par exemple à ceux qui détiennent un pouvoir sur nous, mais cela ne peut jamais être déprimant, à la condition que vous gardiez clairement en tête l'idée que votre valeur personnelle n'est soumise à aucune variation. Les courgettes aimées n'en sont pas pour autant des "super courgettes" et les courgettes détestées ne perdent ni leur nature, ni leur valeur intrinsèque. Pourquoi en serait-il autrement pour les humains?

Mais voilà, pour arriver à ce résultat intéressant qui consisterait à ne pas ressentir l'"émotion dépression", il faudrait que vous vous entraîniez à laisser de côté le jeu stupide et dangereux de l'auto-évaluation personnelle.

Concrètement, cela consisterait pour vous à acquérir une habitude radicalement opposée à celle que vous avez acquise inconsciemment depuis que vous êtes au monde. En effet, vous n'êtes pas né avec cette tendance à vous auto-évaluer. Mais c'est ce que vous avez commencé à faire dès le début. Parce que vous la tétiez d'une manière qui lui plaisait, votre mère vous a qualifié de "bon bébé", parce que vous faisiez des risettes à votre tante Ursule, on vous a dit: "Bébé gentil". Plus tard, vous avez été un bon ou un mauvais élève, un bon joueur de soccer, un bon étudiant, un mauvais perdant, un bon mari, un excellent employé ou au contraire un sot, un imbécile, un méchant. Tout cela, on vous l'a répété des millions de fois et vous avez rapidement pris l'habitude de vous le répéter intérieurement à vous-même un nombre incalculable de fois.

Chaque fois qu'on vous a qualifié de bon ou de mauvais et chaque fois que vous avez fait de même, vous avez commis une erreur, et qui n'est pas sans conséquences. Car c'est cette habitude qui se trouve à la racine de l'"émotion dépression". N'espérez pas vous défaire en un tour de main d'une habitude aussi ancrée. Il est même probable que vous quitterez ce monde sans l'avoir vraiment vaincue de façon complète et définitive. Mais il serait déjà très avantageux pour vous d'en diminuer l'emprise, de la combattre.

Ce n'est vraiment qu'ainsi que vous pouvez espérer vous débarrasser du moins partiellement des effets douloureux et nuisibles de la dépression. Pourquoi ne serait-il pas possible pour vous de travailler à cesser de vous auto-évaluer, tant positivement que négativement, à vous restreindre à évaluer et juger l'efficacité ou la "justesse" de vos *actes*, en vous disant que ces actes ne constituent pas votre personne et n'ont rien à voir avec votre valeur personnelle.

Vous avez appris beaucoup de choses depuis votre naissance, les unes utiles: parler une langue, manger, marcher sans trébucher, accomplir un travail qui vous permette de gagner votre vie; d'autres nuisibles: boire à l'excès, vous empiffrer à vous rendre malade, consommer trop de sucre et de graisse, penser de façon erronée et nuisible. Pourquoi ne pas apprendre à penser d'une manière plus réaliste et plus agréable? Vous rendez-vous compte que vous rendriez ainsi votre vie plus facile? Car la vie de tous les jours comporte ses difficultés, ses tracas, ses ennuis et ceux-ci n'épargnent pas les déprimés. Mais ces derniers sont handicapés par le poids de la dépression qu'ils suscitent en eux-mêmes. Sous ce rapport, la vie peut être comparée à une course à obstacles. Il s'agit de courir en franchissant des obstacles plus ou moins élevés. La personne déprimée court comme les autres, mais en transportant sur son dos le poids de sa dépression. Pour franchir les mêmes obstacles, elle doit dépenser plus d'énergie, d'efforts, comme un coureur qui traînerait sur son dos un sac de quarante kilos de pierres. On ne s'étonnerait pas de le voir trébucher, traîner loin en arrière des autres, s'effondrer souvent et ne réussir à franchir les obstacles qu'au prix d'efforts inouis. Laissez donc tomber ce sac encombrant, il n'en dépend que de vous. Au moins, rejetez une partie de son contenu, quelques-uns des cailloux qui le remplissent. Est-il vraiment nécessaire que vous continuiez toute votre vie à vous traiter d'imbécile quand vous avez fait une sottise ou de méchant, mauvais ou misérable quand vous avez commis une erreur? Quel destin vous condamne à toujours confondre vos actions avec vous-même? Vous parvenez bien à faire la distinction entre l'erreur que vous faites et vous-même. Vous ne vous qualifiez pas de nauséabond parce que vous allez à la toilette régulièrement? Eh bien, si vous parvenez à faire cette distinction, pourquoi diable vous entêtez-vous à vous répéter que vous êtes un pauvre bougre parce que vous êtes l'auteur d'une ou plusieurs erreurs, que vous êtes un mauvais père parce que vous avez giflé le petit ou une mauvaise épouse parce que vous avez trompé votre mari? Et pourquoi continuez-vous à prêter une oreille complaisante à tous ceux qui répètent de telles sornettes?

Vous me direz que si vous cessez de penser ainsi, on vous prendra pour un fou, un malade, un original plus ou moins détraqué. Et après, si ainsi vous êtes plus heureux? Vous vous distinguerez du troupeau, bien sûr, et si ce troupeau court vers l'abîme, est-il vraiment nécessaire de le suivre? Il y a des "anormaux" en santé, comme il y a des "normaux" malades. Après tout, quand tout le monde attrape la grippe en février, ceux qui en sont préservés sont "anormaux" au sens statistique du terme. Mais ils sont en bonne santé, alors que les "normaux" sont malades.

Ce qui revient à dire que certaines idées populaires répandues sont en même temps fausses et dangereuses. Il n'est pas essentiel ni obligatoire que vous continuiez à adhérer à de telles croyances. Mais, vous vous en rendez compte, l'ennemi est en vous: c'est l'habitude que vous avez prise de penser d'une manière nocive et irréaliste; vous devrez dépenser temps et efforts si vous voulez vous en défaire.

Je passe avec vous à l'examen d'une autre émotion habituellement présente dans la dépression: la culpabilité.

La culpabilité

La culpabilité est une cousine germaine de la dépression et il est rare que la première de ces émotions soit présente sans que la seconde ne la suive de peu.

La personne qui se sent coupable pense qu'elle n'aurait pas dû, qu'elle aurait dû, qu'elle n'avait pas le droit de faire ou qu'elle devait faire ce qu'elle a fait. Elle conclut habituellement que vu qu'elle a fait ce qu'elle n'aurait pas dû faire ou n'a pas fait ce qu'elle aurait dû faire, elle est pitoyable, un être sans valeur, ou du moins de moindre valeur, ce qui suscite en elle l'"émotion dépression".

Yvon trompe sa femme, bat son fils, vole son voisin, ne paye pas ses impôts et ne va plus travailler, prétextant une maladie. Aucune de ces actions ou abstentions ne peut *causer* chez lui quelque émotion. Ce ne sont que des événements qui lui offrent l'occasion de ressentir de multiples émotions, entre autres la culpabilité. Si Yvon pense qu'il *n'aurait pas dû* tromper sa femme, battre son fils ni voler son voisin et qu'au contraire il devrait payer ses impôts et aller travailler, il va certainement se sentir coupable et probablement déprimé. Comme on peut le constater, ce ne sont pas les *actes* d'Yvon qui causent son sentiment de culpabilité, mais *uniquement* l'idée qu'il aurait dû agir autrement qu'il ne l'a fait. Yvon se sent coupable non pas parce qu'il pense que ce qu'il a fait est MAUVAIS mais parce qu'il pense qu'il est *INTERDIT* de poser des gestes mauvais, qu'il ne FAUT PAS le faire. Il ne diffère pas en cela de la majorité des hommes qui semblent croire ferme que le bien est obligatoire alors que le mal est interdit. Ceci pose deux questions que je vais considérer avec vous séparément.

D'abord, comment peut-on savoir si un geste est bon alors qu'un autre est mauvais? Ceci n'est pas un mince problème. Est-il mauvais d'égorger un bébé au berceau? Oui, dites-vous. Et si le bébé s'appelle Adolf Hitler, ou Joseph Staline? Son meurtre n'épargnerait-il pas bien des maux à l'humanité? Ne vaut-il pas mieux qu'un bébé trépasse plutôt que des milliers de Juifs et d'Ukrainiens? Tiens, vous hésitez, et je pense que vous avez raison. D'autre part, comment savoir si Hitler et Staline disparus, la situation des Juifs, Ukrainiens ou autres n'aurait pas été encore pire que ce qu'elle a été? Ce ne serait pas la première fois qu'en croyant bien faire, l'homme tombe dans un mal plus grand que celui qu'il voulait éviter. L'exemple des insecticides vient tout de suite à l'esprit. Lors de leur découverte, on les a salués comme un bienfait dont l'usage assurerait des récoltes plus abondantes. Après quelque temps, on s'est aperçu que les insectes dont on annonçait la disparition prochaine s'étaient mutés en d'autres espèces pires et plus voraces que les précédentes.

Ces réflexions devraient rendre plus prudents ceux d'entre nous qui, sans hésiter, déclarent bons ou mauvais leurs propres actes ou ceux des autres.

Passons au deuxième point. À supposer que nous parvenions à nous entendre pour décider que tel acte est bon et tel autre mauvais (je ne vois pas comment nous pourrions y parvenir; mais supposons-le), peut-on en conclure que le premier est nécessaire et le second interdit?

Je sais bien comme vous qu'il existe sur cette planète une foule de lois de tous genres qui autorisent ou interdisent tel ou tel acte. Lois d'un pays, d'une région, règlements municipaux, code de la route, règlements divers, ordonnances de tous genres dont le législateur assure l'observance par le biais de châtiments que l'on fait subir aux contrevenants. Ces châtiments vont de la peine de mort à l'expulsion du terrain par l'arbitre et à la fessée que reçoit le petit Robert quand il tire la langue à sa mère.

Ces lois, on peut les appeler lois humaines. Elles expriment sous forme d'obligations les désirs d'un ou plusieurs êtres humains. Quand le père dit à son fils: "Tu dois revenir à dix heures", il exprime en fait deux choses: (1) il préfère que son fils revienne à la maison à l'heure dite et (2) il est convaincu que puisqu'il préfère cette heure, l'enfant est *obligé* de revenir à l'heure décrétée par lui. Il en va de même pour toutes les lois humaines.

Vous constatez également qu'il existe en ce monde certaines structures qui vous empêchent de vous comporter de certaines manières et vous contraignent à vous comporter d'autres manières. Ainsi, nul humain ne parvient à tirer de l'eau l'oxygène nécessaire à sa survie, tâche dont se tirent facilement les poissons, dotés de branchies. Nous ne pouvons nous envoler en battant des bras alors que les oiseaux le font très bien en agitant leurs ailes. Ce sont là des lois *physiques*. L'esprit humain a aussi ses lois: ainsi, impossible pour un homme de parler une langue articulée sans avoir été en contact direct ou indirect avec un autre homme s'exprimant dans cette langue.

À la différence des lois humaines, les lois naturelles n'admettent pas d'exceptions et s'appliquent inéluctablement. Alors que l'infraction à une loi humaine n'est suivie d'un châtiment que selon le bon vouloir du législateur et seulement si le contrevenant se fait appréhender, les tentatives d'infraction aux lois naturelles sont uniformément et impersonnellement sanctionnées de la même manière.

Ce qui précède me permet de conclure que l'observance des lois humaines est facultative et dépend du bon vouloir de chacun, plus spécifiquement de l'interprétation que chacun fait des avantages qu'il y a à observer la loi. Les lois humaines ne possèdent aucun caractère nécessaire en elles-mêmes, et ce n'est pas le fait qu'elles soient proclamées nécessaires qui les rend telles. Il en va tout autrement des lois naturelles. Leur nécessité est incontestable, automatique et n'est soumise à aucune variation ni exception.

Quand le père dit à son fils: "Tu dois revenir à dix heures", le fils pourrait répondre avec logique: "Rien au monde ne dit que je *dois* revenir à l'heure que tu viens de décréter. Il n'y a que toi qui déclares cela et *je peux* revenir à l'heure qui me plaît. Il m'est également possible de ne jamais revenir ou de ne pas partir. Quand je reviendrai, si je reviens, ce ne sera pas parce que je dois t'obéir mais bien parce qu'il me sera apparu avantageux de revenir."

Bien sûr, peu de fils répondent ainsi à leur père, surtout si le père est plus vigoureux que le fils ou exerce un moyen de pression. Un fils qui répondrait ainsi à son père recevrait peut-être une gifle, expression de la colère du père, elle-même créée par l'idée qu'un fils ne *doit* pas répondre ainsi à son père. À son tour, cette idée semble absolument absurde, puisque alors le fils giflé pourrait rétorquer à son père: "Tu me gifles parce que tu es en colère, et tu es en colère parce que tu penses que je n'aurais pas dû te parler comme je l'ai fait. S'il est vrai que je n'aurais pas dû le faire, qu'une loi de la nature m'interdit de le faire, comment se fait-il que je l'aie fait? Tu dis que j'ai un caractère frondeur, insolent et je n'en disconviens pas, mais ce caractère ne me permet pas pour autant d'enfreindre les lois de l'univers. J'en suis tout autant que chacun radicalement incapable et si j'ai parlé comme je l'ai fait, la nature ne s'y opposait certainement pas, puisque alors je n'aurais pas pu ouvrir la bouche. J'ai parlé ainsi parce qu'il m'est apparu avantageux pour moi de le faire, tout comme il t'est apparu avantageux pour toi de me gifler. Je commence à penser que les avantages que j'entrevoyais en te parlant ainsi sont peut-être moins considérables que je ne l'ai cru d'abord. J'aurais peut-être mieux fait de me taire. Il est cependant possible qu'une autre fois je trouve plus avantageux de me taire, non pas que j'y sois obligé, mais connaissant ton caractère et la prestesse de ta main, de même que les effets cuisants de son contact brutal avec ma joue, il se pourrait qu'il vaille mieux pour moi me taire que répliquer."

La pensée qui cause la culpabilité est donc, comme vous pouvez le constater, radicalement irréaliste.

Ce qui *doit* arriver arrive et ce qui ne *doit pas* arriver n'arrive jamais. Se dire à soi-même: "Je n'aurais pas dû faire ce que j'ai fait" ou "J'aurais *dû* faire ce que je n'ai pas fait" revient à proclamer que le monde devrait être fait d'une autre manière qu'il ne l'est, ce qui est certainement faux puisque si c'était vrai, le monde, en tout ou en partie, serait différent de ce qu'il est.

Rien n'est donc interdit aux hommes que ce que l'ordre, la structure de l'univers leur interdit. Toutes les obligations et interdictions proclamées par les hommes sont purement arbitraires, sans lien réel avec la réalité.

Pour se sentir coupable, il faut aussi se croire libre, c'est-à-dire capable de faire autre chose que ce qu'on a fait. Mais la liberté de choix constitue une autre illusion qu'il convient maintenant de démolir.

Choisissons-nous vraiment librement de faire ce que nous faisons? Examinons une situation simple mais typique.

Voici François placé devant le choix: un verre de bière et un verre d'eau. On dira: il a deux possibilités. Mais en fait, il en a quatre: prendre la bière, prendre l'eau, prendre l'eau et la bière, ne prendre ni l'un ni l'autre. Les verres sont placés sur une table à la portée de François. Observons ce qui se passe.

Je vois sa main se diriger vers le verre de bière. J'en conclus qu'il *désire* la bière plus que l'eau, plus que les deux à la fois (du moins en ce moment) et plus que s'abstenir de boire. Le désir est *l'émotion* fondamentale issue de la conception suivante: "Ceci est bon, avantageux pour moi". Cette conception, François l'a dans l'esprit, il ne se la donne pas. Elle est tout simplement là. François ne *décide pas* de considérer la bière comme bonne pour lui, pas plus qu'il ne décide de percevoir le gazon comme vert ou un ballon comme rond.

Une fois cette conception ("la bière est bonne pour moi") présente dans l'esprit de François, le désir est créé automatiquement par elle et ce désir à son tour devient le moteur qui dirige les mains de François vers le verre de bière. François dira: “Je veux la bière”, mais ce *vouloir* est complètement déterminé chez lui par la perception qu’il a de la bière, perception sur laquelle il n’exerce aucun contrôle volontaire. Il veut la bière, *mais il ne désire pas la vouloir.*

On dira que François aurait pu prendre l’eau. C’est vrai en ce sens que rien d’extérieur à lui ne l’empêchait de la prendre. Ce qui l’empêche de prendre l’eau, c’est sa perception de la bière comme préférable à l’eau, et tant que cette perception demeurera présente en son esprit, François ne *peut pas* prendre l’eau et *doit* prendre la bière, aussi sûrement que les objets qu’on ne tient pas *doivent* tomber et que l’eau *doit* se transformer en glace à o°C et bouillir à 100°C.

Le désir détermine nos actions mais il est lui-même déterminé par nos perceptions. J’en conclus que nul ne choisit jamais “librement” de faire ce qu’il fait, mais qu’il y est déterminé par le jeu de ces perceptions. On ne pourra dire logiquement qu’un être humain est libre que quand on voudra indiquer qu’aucun obstacle *extérieur* ne s’oppose à l’accomplissement de ses désirs. Ainsi, si François est ficelé dans un fauteuil, il ne *peut pas* prendre la bière qu’il désire, mais il ne peut pas non plus ne pas la désirer, tant qu’elle lui apparaîtra bonne pour lui. Nous n’avons aucun contrôle sur la manière dont les choses nous apparaissent et, à partir de ce point, le mécanisme du désir et de l’action ou, au contraire celui de l’aversion et de l’abstention sont rigoureusement automatiques. Nous sommes donc en fait les jouets de nos perceptions.

Ce n'est pas tout. Chaque fois qu'un être humain pose un acte ou s'abstient d'en poser un, cette action ou cette abstention s'inscrit dans la suite des événements qui les ont précédés et qui vont suivre, sans que nous puissions intervenir pour en modifier l'ordonnance. Suivez-moi un peu encore.

À l'occasion d'un voyage d'affaires de son mari Bernard, Denise le trompe avec un confrère de travail, Michel. Par la suite, Denise ressent de la culpabilité et se sent déprimée, parce qu'elle croit qu'elle n'aurait pas *dû* coucher avec Michel et que puisqu'elle l'a fait, elle est méprisable.

Nous avons déjà vu qu'elle n'est pas méprisable puisque l'adultère, pas plus que toute autre chose, n'a de rapport avec la valeur intrinsèque d'un être humain.

Nous avons déjà vu qu'il est faux pour elle de prétendre qu'elle n'aurait pas dû coucher avec Michel, puisqu'elle l'a fait et qu'on peut dès lors être certain qu'aucune loi de l'univers ne s'opposait à l'accomplissement de cet acte.

Mais, au moins, dira-t-on, elle aurait *pu* ne pas coucher avec Michel. Regardons-y de près.

Si Bernard était resté à la maison ce soir-là, Denise n'aurait très probablement pas couché avec Michel. Mais Bernard travaille pour la compagnie XYZ, qui a des succursales à travers le pays. C'est le travail de Bernard de visiter mensuellement ces succursales, ce qui l'amène à s'absenter plusieurs jours de suite. Pourquoi la compagnie a-t-elle ces succursales? C'est qu'elle fabrique des pièces d'automobile et qu'elle s'est développée avec la popularité de l'automobile. Cette popularité est en grande partie due aux conditions économiques du début du vingtième siècle et au génie de constructeurs comme Henry Ford. Pourquoi Ford a-t-il à ce point perfectionné l'automobile plutôt que, par exemple, mourir à quatre ans écrasé par le cheval de son oncle? Et on pourrait remonter à l'infini...

Et pourquoi Bernard travaille-t-il pour la compagnie XYZ? Encore là, on remonte à l'infini. Pourquoi Michel, le compagnon de travail de Denise l'attire-t-il autant? Il a les cheveux châtains et une petite moustache, comme le père de Denise, qu'elle adorait et dont elle recherche inconsciemment l'image. Pourquoi le père de Denise avait-il une moustache et les cheveux châtains, et pourquoi Michel lui-même arbore-t-il le même type de cheveux et de moustache? Les cheveux: question d'hérédité, encore que son frère ait les cheveux noirs. Et la moustache? On n'en finirait plus de remonter aux causes.

Et pourquoi Denise n'était-elle pas malade ce soir-là, elle qui l'est si souvent? Et pourquoi la voiture de Michel n'est-elle pas tombée en panne alors qu'il se rendait à son rendez-vous? Et pourquoi Denise ne s'est-elle pas foulée une cheville en descendant l'escalier ce soir-là, alors que c'est ce qui s'est produit le lendemain? Il n'y a rien à répondre à toutes ces questions, si ce n'est que ce qui *doit arriver* arrive ou inversement qu'il n'arrive rien qui ne *doive* arriver.

Et si vous dites que Denise aurait *pu* ne pas coucher avec Michel le soir du 28 septembre, je vous répondrai que cela est *THÉORIQUEMENT* concevable, que rien d'extérieur à elle ne la forçait à le faire mais qu'aussi, pour qu'elle ne le fasse pas, c'est à la fois les perceptions de Denise et le reste de l'histoire du monde qui auraient dû être différents. Tout cela était inéluctable, et Denise, en conséquence, a couché avec Michel. Denise ne contrôle pas ses perceptions ni les désirs qui en découlent ni l'histoire du monde, et il en est ainsi pour chacun de nous.

Je vous entends grommeler que tout cela est bien beau, mais que vous êtes bien libre de boire un verre de bière quand vous le voulez, que rien ne vous en empêche et que c'est libre de toute contrainte que vous le faites. En effet, libre de toute contrainte *EXTÉRIEURE* mais en même temps complètement enchaîné par vos perceptions et l'histoire du monde. Vous pensez que la bière est bonne pour vous? Vous *devez* la boire, à condition que la bière existe, bien sûr, c'est-à-dire à condition que quelque obscur Gaulois ou je ne sais qui ait un jour découvert le secret de sa fabrication.

"Mais alors, s'écrient certains de mes auditeurs, si tout est permis et rien n'est interdit, où irons-nous? Ce sera la pagaille, un déferlement d'immoralité, de crimes, d'horreurs."

Attention. Ne me faites pas dire ce que je ne dis pas. Ce n'est pas parce qu'une chose n'est pas interdite par la nature qu'elle est automatiquement bonne, désirable, appropriée, porteuse d'agréments. Rien dans la nature ne vous interdit de planter un couteau dans le dos de votre voisin. Mais il est rare que cet acte soit suivi de conséquences agréables, compte tenu des lois et des coutumes de notre pays. Les collectivités se sont entendues en général pour rendre la vie pénible à ceux qui s'attaquent à la personne ou aux biens des autres et il vaudrait mieux pour vous que vous y pensiez deux fois avant de vous livrer à un acte que votre milieu désapprouve.

Que vous fassiez des bêtises, ma foi, cela est assez inévitable. Mais il n'est pas inévitable que vous vous en sentiez coupable, ce qui ne constitue finalement qu'une bêtise de plus.

Il vaudrait sans doute mieux que vous consacriez votre énergie à réparer les conséquences de vos erreurs qu'à vous taper vous-même sur la tête. La première démarche peut vous apporter de bons résultats, la seconde ne peut que vous épuiser sans profit pour quiconque.

Ce qui est fait est fait et il ne vous sert à rien de le déplorer, de vous en blâmer. Peut-être vous serait-il utile de le réparer. Et s'il n'y a rien d'utile à faire, abstenez-vous au moins de vous fatiguer l'esprit en vous culpabilisant et en vous déprimant.

Un dernier mot à propos d'un obstacle qui pourrait vous gêner dans vos efforts pour vous défaire de votre culpabilité. Je rencontre souvent des personnes qui semblent croire qu'il y a une espèce de noblesse à se sentir coupable de ses erreurs. C'est comme si elles pensaient que le pécheur repentant est tout de même un peu plus valable que celui qui ne se sent pas coupable. Il est tout à fait possible que celui qui se sent coupable en tire une espèce de gloire; s'il ne peut prétendre être sans tache, du moins n'est-il pas tombé aussi bas que celui qui ne se repent même pas de ses méfaits.

Nous retrouvons ici la vieille tendance des êtres humains à classer leurs semblables en bons et mauvais et à s'évaluer eux-mêmes en fonction de leurs actes et caractéristiques. J'ai déjà traité de cette erreur et je n'y reviendrai pas. Qu'il suffise de rappeler qu'une personne qui ne se sent pas coupable n'est ni meilleure ni pire qu'une autre. Elle ne vit pas la même émotion, voilà tout. La présence d'une émotion chez un être humain est sans rapport avec sa valeur personnelle; elle ne peut influer que sur son bonheur de vivre. Il est sans conteste plus agréable de vivre sans culpabilité que l'inverse. Mais, d'autre part, ceux qui sont plus heureux ne sont pas meilleurs que les autres: ils ne sont que plus heureux.

La tristesse

Dans notre examen des émotions dépressives, nous abordons maintenant la tristesse.

Voilà une émotion désagréable, pénible mais qu'on oublie souvent d'attaquer tant il semble qu'elle soit appropriée et causée par des événements "attristants".

Comme nous le savons, aucun événement intérieur ou extérieur ne possède le pouvoir de susciter la tristesse. Celle-ci est toujours causée, comme toutes les émotions, par les croyances et idées de celui qui ressent la tristesse. Ces idées et croyances reviennent toujours à la même conception: "Ce qui m'arrive, m'est arrivé ou va m'arriver est une mauvaise affaire pour moi, un désavantage, un élément nocif". Je vous rappelle brièvement que ce n'est pas l'événement lui-même qui suscite la tristesse puisque, par exemple, en face d'un événement, certaines personnes éprouvent de la tristesse alors que d'autres ressentent de la joie. Mme Dupont meurt. Son mari se désole, sa fille, qui la déteste, se réjouit. On lit son testament. Sa cousine, qui hérite de tout, se réjouit. Son cousin, à qui elle ne laisse rien, s'attriste. Un avion s'écrase faisant 300 victimes. Les parents et amis s'attristent, le fournisseur de cercueils se réjouit (tout bas).

Qu'en est-il de la validité de l'idée qui cause la tristesse. Pourrons-nous jamais démontrer que ce qui nous arrive est indubitablement désavantageux (ou avantageux) pour nous?

De prime abord, il semble bien que oui. Quel avantage final un humain peut-il retirer de l'incendie de sa maison, de la ruine de son entreprise, du décès d'un être cher, de la pluie qui tombe un jour de vacances? Apparemment, aucun. Les désavantages suscités par ces événements semblent dépasser de loin les quelques avantages qu'ils semblent comporter.

Et pourtant. N'est-il pas arrivé à chacun de nous d'interpréter comme défavorable un événement quelconque pour ensuite, et souvent bien peu de temps après, changer d'avis et le considérer comme favorable?

Le mari de Suzanne la quitte. Elle s'attriste, se disant que son sort est cruel. Mais quelques mois plus tard, elle rencontre Denis avec qui elle file d'heureux jours, plus heureux que ceux qu'elle avait connus avec son précédent mari. Voilà Suzanne qui se prend à penser que ce fut, au fond, une bonne affaire que le départ de son mari. Pourtant, peut-elle en être certaine? Comment pourra-t-elle jamais *SAVOIR* comment sa vie se serait passée si son mari ne l'avait pas quittée? Il n'existe évidemment aucun moyen de répondre à cette question puisqu'il nous est radicalement impossible de connaître ce qui ne s'est pas passé mais aurait pu se passer, puisque cela n'existe pas. Le départ de son mari fut-il pour elle avantageux ou désavantageux? Nul n'en saura jamais rien.

Ce que Suzanne peut cependant connaître et savoir, c'est que sa tristesse est désagréable et pénible, qu'elle n'apporte aucune contribution positive à son existence. La tristesse est non seulement une émotion inutile mais encore nuisible.

Comme la tristesse de Suzanne, ainsi que toute autre tristesse, est causée par une idée radicalement incertaine, indémontrable, on ne peut que recommander à Suzanne de faire des efforts pour l'expulser de son esprit, ou du moins lui conserver son caractère douteux. Le départ de son mari fut *peut-être* une mauvaise affaire pour elle, et *peut-être* une bonne. Impossible de le savoir. Autant donc ne rien en penser du tout ou même croire que ce fut une bonne affaire. Cette deuxième pensée est tout aussi hasardeuse que la première, mais elle comporte l'avantage de causer une émotion agréable: la joie. Et comme il est plus agréable de se sentir joyeux que triste...

Je vous entends déjà vous récrier que c'est là de la gymnastique mentale, de la "pensée positive", que tout cela ne repose que sur des hypothèses invérifiables. D'accord, mais notez au moins que les idées qui suscitent la tristesse sont tout aussi invérifiables que celles qui suscitent la joie. Quant à la gymnastique mentale, nul ne vous contraint de vous y livrer, pas plus que vous n'êtes obligé de faire du jogging pour maintenir votre forme physique. Mais je demeure étonné que vous vous indigniez de devoir payer un prix: vos efforts, pour obtenir ce que vous désirez. Ne saviez-vous pas que rien n'est gratuit sur cette planète? Qui croyez-vous donc être pour proclamer que la nature doit vous rendre joyeux alors que vous vous êtes acharné à vous rendre triste pendant des années? Je sais que vous n'avez pas fait exprès, que vous ne saviez pas que vos idées étaient responsables de vos émotions. Mais c'est quand même vous qui vous vous attristez avec vos idées négatives. Libre à vous de continuer à le faire: ce ne devrait pas être difficile puisque vous semblez expert à ce petit jeu. Mais ne vous plaignez pas que le mur est noir quand vous ne cessez de le peindre en noir et que vous vous acharnez même à passer couches sur couches de noir, recouvrant même les quelques espaces blancs qui vous avaient d'abord échappé. Ce qui s'est passé s'est passé. Vous pouvez continuer à le déplorer jusqu'à la fin de votre vie. Vous pouvez aussi cesser de vous attrister inutilement si vous consentez à faire les efforts nécessaires à un changement d'optique et à une critique plus rigoureuse de vos croyances non fondées.

La tristesse découle souvent du fait qu'un événement n'est interprété que sous un seul aspect, négatif en l'occurrence.

Tout événement comporte de nombreuses facettes, les unes positives, les autres négatives, d'autres, enfin, neutres. Concentrer son regard intérieur sur une seule d'entre elles constitue une déformation du réel; cela revient à prendre la partie pour le tout. Si la facette considérée ainsi est négative, la tristesse s'ensuivra automatiquement. Cette tristesse pourrait être tempérée si la personne portait son regard sur d'autres facettes de la même réalité, de façon à en avoir une vision plus complète et donc, plus légitime.

Un arbre meurt sur ma propriété. D'accord, c'est une perte immédiate, encore que je ne puisse pas savoir si ce n'est pas une bonne chose au fond. Comment savoir si cet arbre n'aurait pas été frappé par la foudre dans deux ans et ne se serait pas abattu sur ma maison, causant ainsi d'importants dommages? Mais il y a plus. Abattu, cet arbre me fournira du bois à brûler pendant un bon bout de temps. De plus, sa disparition permettra à mon jardin de recevoir plus de soleil, ce qui ne peut lui faire que du bien. Je n'invente pas ces facettes positives, elles sont réellement présentes et si je porte mon attention sur elles, j'arriverai à interpréter les événements d'une manière plus complète. La considération des aspects négatifs ET positifs devrait produire une certaine diminution de ma tristesse. Il est rare, et peut-être impossible, qu'un événement ne comporte que des aspects négatifs. Pourquoi, dès lors, écarter arbitrairement les rares aspects positifs qu'il comporte, surtout si, ce faisant, je contribue à maintenir ou à augmenter ma tristesse? Il ne s'agit pas d'exagérer les aspects positifs (voir la vie en rose) mais il est au moins aussi maladroit et beaucoup plus douloureux de minimiser ceux qui sont en fait présents dans l'événement. Cela revient à se gâter la vie plus qu'elle ne l'est déjà et à supporter un supplément inutile d'émotions désagréables, venant s'ajouter à une dose de frustrations peut-être déjà considérable.

Je sais qu'il est difficile de ne pas s'attrister au moins un peu quand les ennuis et les malheurs s'abattent sur notre tête. Mais c'est déjà mieux de ne le faire qu'un peu plutôt que beaucoup, et brièvement plutôt que longuement. Je sais aussi que tout serait plus simple si ces ennuis et malheurs nous étaient épargnés, mais il n'y a rien à faire pour les faire disparaître une fois qu'ils se sont produits. Il ne reste qu'à tenter résolument de changer, au moins partiellement, les idées et interprétations que nous formulons à propos de ces événements. Faute de mieux, autant se contenter de ce qui est possible.

En continuant de considérer les divers aspects positifs et négatifs d'une situation quelconque, la personne en vient régulièrement à tomber dans ce que j'appelle la "catastrophisation", c'est-à-dire la transformation d'un événement surtout désagréable en chose intolérable, insupportable, affreuse. Il va sans dire que ses émotions négatives: tristesse, dépression, anxiété vont alors atteindre leur plus grande intensité. La pensée "catastrophisante" ne cause pas d'émotion spécifique. Elle semble seulement intensifier l'émotion déjà présente. Si je suis déjà triste, parce que je me dis que tel événement est à mon désavantage, je deviendrai *très* triste en me répétant qu'il est TERRIBLEMENT malheureux, AFFREUSEMENT pénalisant, ATROCEMENT douloureux.

Il vaut mieux y penser lucidement avant de susciter en soi-même une série d'émotions pénibles. Les horreurs, catastrophes, atrocités, les choses insupportables, intolérables, affreuses, existent-elles en fait?

Presque toutes les personnes à qui j'ai posé cette question répondent oui sans hésiter. Je leur demande alors de choisir un exemple de catastrophe. Elles me parlent de tremblements de terre, de raz-de-marée, d'incendies meurtriers. Je demande alors à la personne d'imaginer un tremblement de terre catastrophique et de me dire combien il a fait de victimes. Vingt mille, me dit-elle. Et alors, dis-je, s'il y avait eu quarante mille victimes, serions-nous en présence d'une double catastrophe? Et pour dix mille, cinq mille ou deux mille cinq cents victimes, d'une demi, d'un quart ou d'un huitième de catastrophe? Non, dit-elle, c'est toujours une catastrophe. Où commence-t-elle, cette catastrophe? À cent, cinquante, vingt, dix, cinq morts?

À cinq morts, la personne commence habituellement à hésiter.

Voyez-vous finalement, les catastrophes n'existent que dans notre esprit. Nous attribuons ce terme à divers événements plus ou moins considérables, mais quand nous l'employons, nous n'exprimons que notre *opinion* et non pas la réalité des faits. Un tremblement de terre n'est jamais qu'un tremblement de terre, tout comme la chute d'un avion n'est jamais qu'un accident. On peut appeler n'*importe quoi* catastrophe, horreur ou atrocité, mais ce n'est pas parce que l'on qualifie ainsi un événement qu'il devient ce qu'on le proclame être.

On me dit: "Mais, on trouve le terme dans le dictionnaire. Donc, la chose existe." Il vaut mieux se rappeler que le dictionnaire renferme bon nombre de termes que les hommes ont utilisé et utilisent encore pour désigner non seulement des éléments objectivement existants mais aussi une foule d'éléments qui n'ont d'existence que dans leur imagination. Cherchez Gorgone, Méduse, Pégase ou Centaure. L'être à moitié homme et à moitié cheval a-t-il de fait jamais existé? En tant qu'être humain, nous avons la capacité d'*imaginer* des êtres divers puis de les nommer. C'est facile. Fermez les yeux. Représentez-vous un animal ayant une tête de lapin, un corps de crocodile et des pattes de girafe. Voilà: un lapinocrocogirafe.

Il en va de même pour les catastrophes et les horreurs. *Dans les faits*, il n'existe que des événements plus ou moins pénibles, désagréables, douloureux. La petite Julie se noie dans la piscine de ses parents. Est-ce une catastrophe? Uniquement dans l'esprit de ceux qui l'appellent ainsi. Dans les faits, il s'agit d'une noyade. Je ne dis pas quelle n'est pas pénible, douloureuse, frustrante pour les parents de Julie. Mais qu'est-ce que cela leur apporte de positif d'exagérer les dimensions de l'événement et de se payer ainsi à eux-mêmes un supplément inutile et douloureux de tristesse et de dépression? Si au moins cela pouvait ramener la petite Julie à la vie.

Remarquez bien, avant que vous me disiez que j'ai un coeur de pierre, que je ne blâme personne de s'attrister tant qu'il veut à propos de n'importe quoi. Je trouve tout simplement cela malheureux et inutile. Si vous me dites que c'est normal de se désoler quand on perd sa petite fille, je vous dis que vous avez raison, mais tout ce qui est normal n'est forcément ni sain ni agréable.

Je n'encourage non plus personne à refouler ses émotions, c'est-à-dire à en retenir l'expression extérieure. Si on se sent triste et désolé, il vaut certainement mieux pleurer et gémir que faire semblant de ne rien sentir et afficher un sourire crispé. Mais s'il vaut mieux exprimer une émotion que de la refouler, il est encore mieux de diminuer l'intensité de l'émotion elle-même, ce qu'on peut obtenir non pas en niant son existence mais plutôt en modifiant les idées qui la causent.

Dans le malheur, il n'y a pas de noblesse à être triste ni de déshonneur à ne pas l'être. Les êtres humains ne sont ni meilleurs ni pires selon qu'ils éprouvent ou non une émotion. Mais la vie est brève et pourquoi faudrait-il que les gens passent de longs moments à la rendre plus pénible qu'elle ne l'est déjà? Chaque moment de tristesse constitue une perte qu'on ne peut ensuite récupérer et n'est-ce pas une folie que d'entretenir une tristesse qu'on fabrique soi-même? Rappelez-vous bien: ce n'est pas l'événement qui cause la tristesse. Il offre la matière première, comme avec du bois on peut fabriquer une table, un poteau, un bateau ou un gibet pour se pendre soi-même. Le problème n'est pas dans le bois, mais dans l'usage qu'on en fait. Aucun événement ne *force* quelqu'un à se déprimer, à s'attrister ou à se procurer à lui-même quelque autre émotion pénible. À chacun de voir ce qu'il se fait à lui-même à l'occasion des événements de sa vie.

À propos de la tristesse, autant parler de deux autres émotions qui lui sont étroitement apparentées et jouent un rôle souvent considérable dans la dépression:

Le découragement et le désespoir

Deux émotions paralysantes créées par des idées presque identiques. Alors que l'homme découragé se sent ainsi parce qu'il se répète qu'il n'obtiendra jamais ce qu'il recherche, le désespéré se dit qu'il ne connaîtra jamais le bonheur ou ne sortira jamais de l'état pénible où il se trouve. L'une et l'autre de ces personnes se prédisent donc à elles-mêmes un avenir noir, rempli d'ennuis et de souffrances, sans lumière au bout du tunnel.

Un instant de réflexion suffit à montrer que ces prédictions ne s'appuient sur rien de démontrable. Nous ne connaissons rien de ce que nous réserve l'avenir si ce n'est qu'un jour, nous mourrons. Il n'est donc pas plus logique de se dire que tout va bien aller que l'inverse.

À propos de la mort, une courte réflexion n'est sans doute pas hors de propos.

Bon nombre de personnes que je rencontre semblent s'imaginer qu'une fois mortes, elles vont regretter la vie qu'elles ont perdue. Elles s'imaginent flottant sans fin dans quelque espace mal défini, voyant les autres continuer à jouir de la vie et regrettant amèrement de n'avoir pas su profiter de ses plaisirs.

Tout cela est évidemment absurde. Pour pouvoir regretter d'être mort, il faut être encore vivant, puisque le regret est une émotion et que seuls les vivants ont des émotions. Ainsi donc, on ne peut regretter d'être mort puisqu'on ne l'est pas. D'ailleurs, l'expression même "être mort" est contradictoire, le premier terme indiquant l'existence et le second, le contraire. On ne peut pas "être mort". Si on est, on est. Ce qui n'est pas, n'est pas. Rien de plus clair. En ce sens, être mort ne peut pas exister puisqu'il s'agit d'une contradiction dans les termes, comme le cercle carré ou l'eau sèche. La première notion contredit la seconde et réciproquement.

Si je regrette d'"être mort", je suis certainement vivant. Comment dès lors regretter une vie que je possède encore? Et si jamais je meurs, je ne regretterai certainement rien, puisque je "serai" mort. Voilà un problème de moins. Quant à ce qui se passerait après ce que nous appelons la mort, je m'en préoccuperai à ce moment, si je suis encore là pour le faire. La mort n'a donc rien de désespérant ni de décourageant en elle-même, mais les idées et notions que chacun peut s'en faire, les croyances qu'il peut entretenir à ce sujet peuvent le réconforter ou le désespérer selon leur nature. Aucune de ces idées, notions ou croyances n'est démontrable, la mort demeurant complètement en dehors de notre appréhension. Il vaut peut-être mieux ne pas trop passer de temps à se poser des questions dont les réponses demeurent inconnues.

Découragement et désespoir se trouvent aussi stimulés par le fait que la plupart d'entre nous pensons avoir un urgent besoin d'une foule de choses dont nous pouvons au fond fort bien nous passer. Il est bien clair que si une personne croit essentiels à son bonheur un plus grand nombre de biens qu'une autre, la possibilité qu'elle se procure tous ces biens décroît à mesure que leur nombre augmente. J'ai déjà parlé de la frustration comme de cet état dans lequel nous nous trouvons quand nos désirs ne sont pas assouvis.

Il est clair que le seul moyen vraiment efficace d'échapper totalement à la frustration consisterait à ne rien désirer ou encore à ne désirer que ce qui arrive. Pour y arriver, il faudrait qu'un homme s'entraîne à considérer comme bon et avantageux pour lui tout ce qui lui arrive. Il se trouverait dès lors continuellement dans un état de gratification.

Je doute cependant que vous ayez le temps et l'énergie pour arriver à ce résultat. Vous continuerez donc probablement à être frustré à l'occasion pendant tout le reste de votre vie.

Mais est-il essentiel que vous transformiez en besoins indispensables une foule de choses que vous désirez? Dans *Changer: une psychothérapie à la maison* (CIM, 1984), j'ai parlé succinctement de cette tyrannie des besoins. Cette manie de croire que tout ce que nous désirons est irremplaçable et nécessaire à notre bonheur est la source d'une foule d'émotions pénibles, parmi lesquelles se rangent le découragement et le désespoir. Comment ne pas se désespérer, en effet, quand on pense ne jamais atteindre une chose dont on croit avoir besoin pour atteindre le bonheur? Après tout, si vous étiez naufragé sur une île déserte et que vous pensiez qu'on ne vous retrouverait *jamais*, ne seriez-vous pas désespéré? Sans doute, mais surtout si, non seulement vous *désiriez*, *souhaitiez* être retrouvé, mais si vous croyiez que vous *avez besoin* qu'on vous retrouve, que tout bonheur vous est interdit si on ne vous retrouve pas.

Laissons de côté l'île déserte. Pourquoi Jean-Paul se désespère-t-il quand Pauline le quitte et pourquoi songe-t-il à se suicider? N'est-ce pas parce qu'il pense que la présence aimante de Pauline est essentielle, nécessaire à son bonheur et qu'en son absence il ne peut couler que des jours misérables?

Et pourquoi Gisèle se désespère-t-elle quand son médecin lui annonce qu'il va falloir procéder à l'ablation d'un de ses seins? N'est-ce pas parce qu'elle aussi pense avoir besoin de ses deux seins pour connaître le bonheur, que cette amputation est affreuse, atroce, inacceptable?

Je vous pose clairement la question. Avez-vous vraiment besoin de tout ce que vous dites pour être vraiment heureux? Est-il vrai que tout bonheur vous serait interdit si votre femme vous quittait, si votre mari décédait, si vos enfants tournaient mal, si votre entreprise faisait faillite, si vous perdiez votre emploi? Avez-vous connu le bonheur avant d'avoir mari, femme, enfants, entreprise ou emploi? Comment dès lors pourraient-ils être essentiels à votre bonheur si vous avez déjà connu le bonheur en leur absence?

Vous me dites que maintenant que vous avez connu tout cela, c'est devenu un besoin pour vous. Pas du tout; cette assertion ne tient pas debout. C'est comme si vous me disiez que vous avez réussi à vous désaltérer pendant quinze ans sans boire un seul verre de vin mais que maintenant que vous connaissez le vin, il vous est impossible de vous désaltérer avec de l'eau, comme vous l'avez fait pendant les quinze premières années de votre existence. Absurde, n'est-ce pas? Ne l'est-il pas autant de prétendre que pour être heureux vous avez nécessairement *besoin* de l'affection de votre femme ou de votre mari ou de quiconque. Et vous faut-il un travail, une maison, un compte en banque, deux jambes, une piscine, des enfants intelligents et que sais-je encore pour jouir de la vie? Ne pouvez-vous pas goûter un bon cognac même si vous n'avez pas vos deux jambes? Et son goût serait-il meilleur si vous les aviez? Je *sais* que vous ne pouvez pas courir. Mais tout plaisir s'évanouit-il parce que vous ne pouvez pas courir? Votre femme ne vous aime pas. Bon. Pouvez-vous quand même jouer aux quilles, lire un livre qui vous plaît, et quoi encore?

Si vous me répondez non, je vais vous suggérer de mettre de l'ordre dans vos idées. Vous êtes sans aucun doute en train de proclamer essentielles à votre bonheur des choses qui ne le sont pas. Parce que vous les aimez, vous voilà en train d'imaginer qu'il vous les *faut*, parce qu'elles vous plaisent, que vous vous y êtes habitué, vous affirmez qu'elles sont indispensables. Retournons sur terre, sur cette terre où vous vous désespérez en vous imaginant sottement que vous ne sauriez vous passer de ce que vous avez défini comme des besoins irremplaçables. Heureusement que la nature est plus rationnelle que vous et a fait en sorte que de nombreux plaisirs vous soient disponibles. L'absence d'un plaisir ne rend pas du tout impossible la présence des autres et si vous me dites que vous ne pouvez pas respirer avec joie l'odeur des roses parce que Juliette vous a quitté, je vais vous recommander de faire examiner vos narines ou votre cerveau.

Bon nombre de personnes que je connais adorent se plaindre, se lamenter sans fin sur leurs malheurs. À les entendre, nul bonheur possible sans LEUR femme, LEUR mari, LEURS enfants, LEUR maison, LEUR emploi. Je ne les condamne pas, je ne les blâme pas. Mais c'est fou ce qu'ils peuvent se gâter la vie en se créant des besoins qu'ils se désespèrent ensuite de ne pouvoir atteindre.

Ai-je réussi à vous secouer? Je ne vous en veux pas, je ne suis pas votre ennemi. L'ennemi, se sont plutôt les idées folles que vous nourrissez. Vous n'avez *besoin* de rien en particulier pour être heureux et jouir de la vie. Ni d'une bonne santé (il y a des athlètes déprimés), ni d'une femme aimante ou d'un mari complaisant (il y a des maris aimés et des épouses adorées qui sont quand même déprimés), ni d'une maison confortable (il y a des propriétaires déprimés), ni d'un emploi (il y a des chômeurs heureux), ni nécessairement de rien d'autre pour jouir de la vie. Bien sûr, tous les aspects de la vie ne vous plairont pas également. Il y en a que vous détesterez carrément. Mais pourquoi y réfléchir interminablement? Allez, n'y pensez plus et occupez-vous d'autre chose. Lucie vous a quitté? Il y a d'autres femmes. C'est quand même un sale coup. C'est vrai, mais ne nous y attardons pas: la vie est brève. Vos enfants vous envoient au diable et vous traitent de vieux sot? Vous aviez espéré autre chose. Dommage, ils ne sont pas disponibles pour l'instant. Heureusement, tout n'est pas perdu. Allez vers d'autres joies. Vous êtes malade? Y a-t-il encore quelque aspect de la vie dont vous puissiez jouir? Si oui, ne tardez pas.

Vous allez me dire que cela prend une tournure d'esprit particulière. Je vous réponds qu'il est en votre pouvoir de l'adopter, à condition que vous vous purgiez l'esprit des notions fantaisistes que vous avez entretenues jusqu'à maintenant et qui vous ont fait prendre des vessies pour des lanternes, l'illusion pour la réalité, l'utile et l'agréable pour le nécessaire.

Regardez autour de vous. Ne voyez-vous pas des gens qui semblent plus heureux que vous, qui ont le sourire aux lèvres? Ils possèdent plus ou moins de biens que vous, certains beaucoup moins. Mais peu importe ce qu'ils possèdent ne voyez-vous pas qu'ils ont en commun la caractéristique de ne pas être attachés outre mesure à ce qu'ils possèdent? La seule vraie manière de jouir de la vie ne consiste-t-elle pas à ne pas attacher d'importance exagérée à quoi que ce soit? Les hommes vraiment habiles dans l'art de vivre ne se créent pas de besoins irréalistes, ne se laissent pas aller à penser qu'ils ne peuvent pas se passer de ce qu'ils ne peuvent pas contrôler. Et comme nous n'avons de contrôle vraiment efficace sur rien de ce qui nous est extérieur, ni sur nos possessions matérielles, ni sur l'affection des autres, ni même sur notre santé physique, ne vaut-il pas mieux ne pas se mettre en tête que toutes les réalités dont nous pouvons jouir sont irremplaçables? Car alors, le plaisir s'évanouit pour être remplacé par l'anxiété, la peur de les perdre et, quand nous les perdons vraiment, à notre frustration viennent s'ajouter la tristesse, le découragement et le désespoir. De quoi se faire une vie misérable.

Vous souvenez-vous de cette fable de La Fontaine intitulée *Le savetier et le financier*? Deux hommes. L'un n'a pas le sou mais chante et fredonne toute la journée. Son voisin "tout cousu d'or", ne dort guère et,quand il parvient à s'assoupir, le chant du savetier le réveille. Le richard fait venir le savetier et lui remet une forte somme en cadeau. Le savetier retourne chez lui et cache l'argent dans sa cave. Mais du même coup, il perd le sommeil, le rire et ne chante plus. Toujours soupçonneux, dressant l'oreille au moindre bruit, redoutant qu'on lui vole son trésor. Pendant ce temps, le financier peut enfin dormir tranquillement. À la fin, le savetier court chez celui qu'il ne réveille plus. "Rendez-moi, lui dit-il, mes chansons et mon somme, et reprenez vos cent écus."

Le problème du savetier n'est pas d'être devenu soudain riche mais bien de s'être mis en tête qu'il avait maintenant besoin de ce qu'auparavant il ne possédait pas. Cette idée et non pas les cent écus l'empêche de dormir et lui ravit sa bonne humeur. En se défaisant de la somme, il ne supprime que l'*occasion* d'être anxieux. On peut l'imaginer conservant la somme mais sans se mettre en tête qu'il en a besoin et dès lors pouvant jouir de la vie sans anxiété.

Vous me direz que je vous prêche le détachement. Et en effet, je vous recommande de préserver votre bonheur de vivre et de vous épargner l'anxiété, la tristesse, le désespoir indissociables de l'état dépressif. Et si les moines ont trouvé le secret d'une vie heureuse, bravo pour les moines encore qu'on puisse parfois les soupçonner de se détacher ostensiblement de biens matériels pour ensuite s'attacher trop à des réalités sans importance.

Comme vous le voyez, ce n'est pas posséder une maison, l'affection des autres, une bonne réputation qui est nocif. C'est de se faire un besoin de toutes ces choses. La transformation des désirs et préférences en besoins irremplaçables constitue une des opérations mentales les plus absurdes et les plus dommageables. N'est-ce pas ce que vous avez souvent fait? Et n'êtes-vous pas dégoûté d'éprouver les effets émotifs de cette erreur?

Comprenons-nous bien. Je ne suis pas en train de vous suggérer de distribuer vos biens aux pauvres et de laisser conjoint, famille, maison, pour partir à l'aventure. Toutes ces choses, vous pouvez les conserver, les entretenir, vous en occuper agréablement mais ne vous dites pas que parce qu'elles vous plaisent, vous ne pouvez en aucune manière vous en passer, que vous en avez besoin. Car alors, comme pour le savetier, c'est le plaisir de vivre qui vous échappera et vous ne jouirez pas de vos possessions, tant vous aurez peur de les perdre.

Au contraire, votre anxiété et votre désespoir peuvent être tempérés par la considération calme et sereine que vous n'avez besoin de rien en particulier pour jouir de la vie, la réalité ayant heureusement prévu pour vous une variété immense de plaisirs, tous remplaçables les uns par les autres. Plus votre peine ou frustration est grande, plus vous avez avantage à l'accepter philosophiquement, en combattant énergiquement l'idée que vous avez besoin de ce qui vous a été refusé ou enlevé.

Dans ce chapitre, j'ai passé en revue avec vous les principales émotions dont la présence suscite la dépression.

J'ai examiné successivement avec vous l'"émotion dépression" fondée sur l'idée que la valeur de la personne subit une diminution, qu'elle est "moins bonne" qu'elle n'a déjà été. J'ai tenté de démontrer l'absurdité de cette croyance et l'illusion sur laquelle elle repose et qui consiste pour l'homme à confondre sa valeur personnelle avec celle qu'il a aux yeux des autres ou aux siens propres. J'en suis arrivé à la conclusion que puisque rien ne saurait modifier la nature d'un être humain, rien non plus ne saurait augmenter ou diminuer sa valeur.

J'ai ensuite étudié avec vous la culpabilité et ses bases cognitives. J'en suis arrivé à la conclusion que rien n'est interdit à un être humain, sauf ce que la structure du monde l'empêche d'accomplir et que, dès lors, il n'accomplira jamais. J'ai distingué avec vous l'opportun de l'obligatoire et l'inapproprié de l'interdit et vous avez pu conclure que même après avoir fait les plus grandes erreurs et sottises, il n'y avait pas de raison objective pour que vous vous sentiez coupable. Nous avons vu comment la liberté de choix des êtres humains constitue un mythe et constaté comment notre action est radicalement conditionnée et déterminée par nos émotions, elles-mêmes issues des perceptions que nous ne contrôlons pas.

Nous sommes ensuite passé à la considération de la tristesse, du découragement et du désespoir, pour constater que ces trois émotions reposent toutes sur des idées à jamais obscures. J'en ai profité pour porter un nouveau coup à la théorie des besoins, mon vieil ennemi depuis des années.

Êtes-vous plus avancé qu'au début de votre lecture? Probablement pas beaucoup encore. Mais au moins, vous savez maintenant d'où proviennent vos états dépressifs, quelles sont leurs causes et de quelles émotions ils procèdent.

Dans le prochain chapitre, je vais passer avec vous à l'élaboration de stratégies à la fois cognitives et actives destinées à vous permettre de vous défaire au moins partiellement de la dépression.

Chapitre III

Combattre votre dépression

Il n'y a finalement que deux moyens que vous pouvez utiliser pour combattre la dépression. Le premier, dont je vais traiter maintenant, consiste pour vous à travailler à modifier les idées, conceptions et croyances qui sont présentes dans votre esprit et qui causent ou font durer cet état. Le deuxième moyen consiste à passer à l'action, ce dont je parlerai plus loin.

Changer vos croyances

Changer vos idées et vos croyances. En êtes-vous capable? Pourquoi pas? Après tout, vous l'avez déjà fait, mais peut-être jamais de façon délibérée, systématique, organisée. Il est certain que certaines de vos idées se sont modifiées au cours de votre existence. Vous ne croyez plus maintenant tout ce que vous croyiez à huit, dix ou quinze ans. Vous avez rejeté l'idée que c'était terrible que votre mère ne vous embrasse pas avant que vous alliez au lit. Vous l'avez peut-être cru à cinq ans. Vous ne pensez plus que votre père est le plus grand, le plus fort, le plus génial de tous les adultes. Vous ne croyez plus que quand vous agissez contre la volonté de vos parents, vous faites pleurer le petit Jésus ni que vous soulagez les âmes du purgatoire quand vous avalez quelque remède amer.

Voilà des croyances que vous avez graduellement abandonnées. Pourtant, sans vous en apercevoir vous avez probablement continué à vous attacher tenacement à certaines croyances qui remontent à votre enfance, qui étaient fausses à ce moment et continuent à l'être encore maintenant. Si vous avez cru, à dix ans, que vous étiez un bon à rien parce que vous étiez arrivé dernier de votre classe, peut-être pensez-vous encore que vous ne valez pas cher parce que, de tous les représentants de votre firme, vous êtes celui qui a vendu le moins.

Certaines idées se sont évanouies, d'autres ont persisté et se sont même ancrées plus profondément. Rien d'étonnant à cela puisque, sans vous en apercevoir, vous passez pas mal de temps à vous répéter tout bas ces idées.

Avez-vous remarqué que vous vous parlez à vous-même presque sans arrêt? Allez faire une promenade seul, et observez-vous: "Tiens, le voisin coupe son gazon. Pauvre imbécile, il le coupe trop souvent. Il va se dessécher. Enfin, c'est son affaire. Voilà l'autre qui promène son chien. Il ne doit pas s'entendre très bien avec sa femme. On le voit plus souvent avec le chien qu'avec elle. Mais moi, si j'avais un chien, je n'achèterais jamais un bouledogue, même si Liette m'en suppliait. On cède toujours trop souvent aux femmes. Elles en profitent ensuite pour te persécuter, exiger toujours davantage. Comme je serais bien si Liette pouvait partir pour un mois voir sa tante. J'aurais la sainte paix pendant ce temps, je pourrais faire tout ce que je veux sans toujours l'entendre me critiquer. J'aurais mieux fait de ne pas me marier avec elle. Elle critique tout et toujours. Mon père me l'avait bien dit: "Ne l'épouse pas. Tu n'auras que des ennuis." Il avait bien raison, le père. Maintenant me voilà pris avec Liette. Pauvre sot que j'ai été. Et je n'ai même pas assez d'aplomb pour la mettre à sa place. Elle me monte sur le dos. Je suis vraiment le roi des couillons. Les enfants ont bien raison de me mépriser et de se ranger de son côté. Je ne suis qu'une guenille."

Vous reconnaissez-vous? En fait, ce monologue intérieur se poursuit sans arrêt en notre esprit et son contenu détermine la nature de nos émotions. Ainsi, il est facile de comprendre que notre promeneur de tout à l'heure finit par souffrir de sentiments dépressifs, créés par son dialogue intérieur par lequel il se déprécie, se dévalorise, se culpabilise.

Pour arriver à réviser ce dialogue intérieur, il va d'abord falloir que vous en soyez conscient. Vous y parviendrez en portant votre attention sur lui. Vous remarquerez probablement, si vous vous sentez déprimé, que vous vous répétez souvent les mêmes choses. Vos cogitations doivent aboutir à peu près au même point: vous n'êtes qu'un triste individu, dénué de valeur ou presque; votre vie est bien pénible et il n'y a pas de lumière à l'horizon. Vous avez fait bien des sottises dans votre vie, ce qui prouve quel minable vous êtes. Et le disque recommence dans votre tête.

Si vous faites tourner ce disque dans votre esprit depuis des semaines, des mois ou des années, vous vous sentirez déprimé.

Une fois que vous avez identifié quelles étaient vos pensées habituelles, vous avez atteint un résultat déjà intéressant. Il y a fort à parier que quand vous ne "savez pas à quoi vous pensez", vous soyez en proie à une de ces idées. Constituez-en une liste: ce sont les cibles que vous allez pouvoir vous entraîner à attaquer maintenant.

Voici un exemple des idées déprimantes habituelles de Gérard F., quarante-deux ans, employé municipal, marié, trois enfants.

1. Si, à quarante ans, je ne suis encore qu'un employé subalterne, cela prouve que je suis un raté sans valeur.
2. Le fait que je me saoule assez souvent prouve que je ne suis qu'un ivrogne sans volonté.
3. Ma femme ne reste avec moi que par pitié et quand on est l'objet de la pitié d'un autre, ç'est qu'on est un être sans valeur.
4. L'aîné de mes enfants ne me parle plus et me déteste. J'ai été un mauvais père et je n'ai que ce que je mérite.
5. Je n'aurais pas dû frapper ma fille Claudette quand elle m'a annoncé qu'elle voulait aller vivre avec son ami. Puisque je l'ai fait, c'est encore la preuve que je suis un bon à rien.
6. Il vaudrait mieux pour tout le monde que je disparaisse. Tous seraient soulagés; je ne leur apporte que honte et malheur.

7. Si je continue à vivre, ma vie ne sera jamais qu'un long calvaire où je me traînerai sans espoir.
8. Tout va mal; je ne réussis rien de ce que j'entreprends. À quoi bon essayer encore?
9. La situation est invivable. Je ne peux plus supporter l'atmosphère glaciale qui règne chez moi, le mépris de ma femme et celui de mes collègues de travail.

Voici maintenant la liste des idées dépressives établie par Madeleine N., trente-six ans, employée de bureau, célibataire.

1. Personne ne m'aime. Je ne peux pas le supporter.
2. Au fond, je ne suis pas aimable. Je ne suis qu'une vieille fille revêche.
3. Je ne devrais pas plier continuellement devant mon patron. Je ne suis qu'une misérable limace.
4. Comme c'est dommage que je n'aie pas pu continuer mes études. Aujourd'hui, je ne serais pas prise à faire ce travail abrutissant.
5. Ma vie ne veut rien dire. Je ne suis utile à personne. C'est affreux.
6. Tout serait différent si j'étais mariée, avec une petite fille à aimer. Mais cela n'arrivera jamais à la conne que je suis.
7. Tout ce monde est stupide et dénué de sens. Nous ne venons au monde que pour souffrir et mourir, sans joie et sans plaisir.
8. Tous mes efforts ne donnent rien. Je suis condamnée à rester déprimée. Autant crever tout de suite.

Maintenant que vous avez un modèle, faites la liste de vos propres idées déprimantes habituelles. Vous n'arriverez probablement pas à la dresser d'un seul coup, peu importe. Vous allez mieux vous connaître à mesure que vous scruterez votre monde de pensées.

Munissez-vous de plusieurs feuilles de papier d'un même format, d'un cahier par exemple. Vous pouvez aussi utiliser le cahier de travail qui accompagne ce livre (voir en annexe). En tête de chaque page, écrivez l'une des idées que vous avez identifiée comme cause de sentiments dépressifs. Vous ajouterez les idées que vous identifierez sur les pages suivantes. Ne mettez qu'une seule pensée par page. Voilà. Vous êtes maintenant prêt à commencer à travailler, c'est-à-dire à discuter avec vous-même.

Il s'agit pour vous d'aligner sous chaque idée les arguments que vous pouvez imaginer et qui en démontrent la fausseté. Creusez-vous la cervelle; imaginez-vous, si vous voulez, qu'un jury décidera si vos arguments sont solides et vous accordera une forte somme s'ils résistent à toute critique.

Voici un exemple, utilisant quelques-unes des idées de Gérard F.:

Idée dépressive N° 1

"Si à quarante ans, je ne suis encore qu'un employé subalterne, cela prouve que je suis un raté sans valeur."

Arguments démontrant la fausseté de cette idée:

1. Que je sois un employé subalterne ne prouve rien, surtout pas que je suis sans valeur personnelle.
2. Si j'étais chef de bureau, mon salaire serait sans doute meilleur et peut-être mon travail me plairait-il plus, mais je ne vaudrais pas plus comme personne.

3. Les ratés n'existent pas; je suis un être humain.
4. Il n'y a rien d'injuste dans mon sort. Les choses se passent comme elles se passent.
5. Il n'est pas certain que je serais plus heureux dans une autre situation.
6. Je peux être très heureux tout en étant employé subalterne. Même si je n'y trouve aucun plaisir, les autres plaisirs de la vie ne me sont pas interdits.
7. Par ailleurs, je trouve certains plaisirs dans mon travail. Je peux les savourer pleinement et me satisfaire du reste.
8. Je ne peux pas être complètement heureux, mais en me déprimant, je diminue la part de bonheur que je pourrais connaître.

Idée dépressive Nº 2

"Le fait que je me saoule assez souvent prouve que je ne suis qu'un ivrogne sans volonté."

Arguments démontrant la fausseté de cette idée:

1. Mon abus d'alcool ne peut pas me faire perdre ma valeur humaine. Il peut cependant endommager ma santé et m'empêcher de jouir de la vie autant que je le pourrais.
2. Les "ivrognes" ne sont pas des misérables. Ce sont des hommes qui consomment trop d'alcool.
3. Je n'ai peut-être pas beaucoup de volonté, si une telle chose existe. De toute façon, ceci n'atteint pas ma valeur personnelle. Si je buvais moins, je ne serais pas plus valable mais peut-être plus heureux.
4. Je serais mieux de m'occuper de ma santé plutôt que de ma valeur. Ma valeur ne peut augmenter ni dimi-

nuer. Ma santé, elle, peut me causer des ennuis précis et pénibles.

Voyons comment Madeleine N. pourrait attaquer certaines de ses idées déprimantes.

Idée dépressive Nº 1

"Personne ne m'aime. Je ne peux pas le supporter."

Arguments démontrant la fausseté de cette idée:

1. Il est douteux que *personne* ne m'aime. Mais il est vrai que personne ne m'aime comme j'aimerais être aimée.
2. Je peux supporter cet état, puisque c'est le même depuis des années et que je n'en suis pas encore morte.
3. Même si personne ne m'aime jamais comme j'aimerais l'être, cela ne peut être que pénible et ennuyeux, mais jamais affreux ni insupportable.
4. Je n'ai pas encore rencontré quelqu'un à qui mes caractéristiques plaisent. Dommage peut-être, mais je ne puis pas savoir si ma vie serait plus heureuse si j'étais aimée. Je ne peux que l'imaginer.
5. Je ne peux pas savoir maintenant si jamais je ne serai aimée comme je souhaite l'être. Je peux faire ce qui est en mon pouvoir pour que cela arrive.
6. Même si personne ne m'aime jamais comme je souhaiterais l'être, la vie renferme d'autres plaisirs que je puis savourer même si je ne suis pas aimée. L'amour que les autres nous dispensent est agréable, mais ce n'est qu'UN des plaisirs de la vie et son absence ne rend pas les autres inaccessibles.
7. En me déprimant, je me rends encore moins séduisante que je ne le suis déjà. Il est rare de trouver une

personne qui aime une personne déprimée.
8. En concédant que ma vie n'est pas très rose, ma dépression ne fait que la rendre encore plus pénible. Il est en mon pouvoir de m'en défaire.

Idée dépressive N° 2:

"Au fond, je ne suis pas aimable. Je ne suis qu'une vieille fille revêche."

Arguments démontrant la fausseté de cette idée.

1. Tout le monde est "aimable", c'est-à-dire susceptible de recevoir de l'affection des autres. Cependant, personne n'est aimé à cent pour cent, par tout le monde et sans arrêt.
2. Il n'y a personne actuellement qui m'aime comme je le souhaiterais, et peut-être en a-t-il été ainsi également dans le passé. Mais le passé est passé. Que puis-je faire pour amener certains êtres humains à avoir envers moi des sentiments amoureux au moins à l'occasion?
3. Je suis célibataire, c'est certain. Mais il n'est pas nécessaire que parce que je le suis, je sois également revêche. Il existe des célibataires des deux sexes équilibrés, joyeux, en santé.
4. Que je sois célibataire ne diminue en rien ma valeur personnelle, si une telle chose existe.

Vous voyez, cela n'a rien de très sorcier; cependant ne vous attendez pas à ce que ces nouvelles idées "collent" après avoir passé des années à vous répéter le contraire. Mais si vous vous êtes convaincu d'avoir été dans l'erreur, pourquoi ne pourriez-vous pas, à la longue, vous convaincre de la vérité? Cela prendra un certain temps, mais ce temps sera d'autant plus court que vous reviendrez souvent sur les nouvelles idées que vous tentez d'ancrer dans votre esprit. "C'est du lavage de cerveau", dites-vous? Certainement: avec toutes les impuretés que vous avez en tête, cela va sûrement prendre un bon lavage en profondeur pour rendre à votre esprit sa lucidité et sa clarté.

Bien des gens font un peu d'exercice physique chaque jour pour se maintenir en bonne santé. Pourquoi ne pas faire la même chose mentalement? S'il est utile de maintenir ses muscles en bon état, ne l'est-il pas au moins autant de se garder l'esprit en santé? Qu'est-ce qui vous empêche de consacrer dix ou vingt minutes pas jour à conditionner votre esprit en le meublant d'idées réalistes?

Ce n'est pas après une semaine d'exercices physiques que vous vous attendriez à des résultats spectaculaires, surtout si vous êtes resté inactif depuis des années, que vous avez pris de l'embonpoint et que votre tonus musculaire est à peu près nul. Vous ne vous attendrez pas non plus à des résultats étincelants dans votre esprit après quelques minutes seulement de réflexion. C'est une question d'entraînement graduel et les résultats intéressants ne viennent qu'à la longue.

Une personne que je rencontrais il y a quelques années avait imaginé un système fort ingénieux que je vous explique maintenant.

Employée dans un bureau, elle avait résolu de se ménager chaque jour quatre pauses de santé mentale. Avant de commencer son travail, vers 10 h 15, au début de l'après-midi et vers 15 heures. Chacune de ces pauses ne durait que quelques minutes, le temps pour elle de s'arrêter et de réfléchir nettement aux idées qui s'agitaient dans son esprit à ce moment-là. D'après elle, le système lui donnait d'excellents résultats. Elle sortait de ces pauses rafraîchie mentalement, prête à affronter son travail avec entrain. Je rêve du jour où les syndicats réclameront pour leurs membres non seulement des pauses café mais aussi des pauses esprit.

En attendant ce jour, rien ne vous empêche de le faire; l'avantage de ce système consiste à permettre à la personne d'intervenir efficacement pour modifier ses idées irréalistes avant que celles-ci n'aient trop de temps pour produire des dégâts émotifs difficiles à réparer. Dans les contacts que vous avez avec autrui, vous allez continuer à être bombardé de sottises et de faussetés. Ils vous répéteront, en personne ou par la radio, le cinéma, la télé, la publicité, que le bonheur consiste à être aimé, qu'on ne peut pas être heureux si on ne possède pas telle marque de voiture, si on ne consomme pas telle sorte d'alcool, si on ne vit pas dans une maison avec piscine et terrain paysager et quoi encore. C'est bien normal: tout vendeur ne parvient à vivre que s'il parvient à convaincre l'acheteur que ce dernier a besoin du produit qu'il propose. On n'imaginerait guère un vendeur de voiture vous dire, par exemple: "C'est une belle voiture, certes, mais elle est plutôt chère. De plus, elle consomme beaucoup d'essence et la transmission est plutôt fragile et coûteuse à remplacer. Et puis, on peut vivre très heureux sans cette voiture et même peut-être plus qu'en la possédant. Songez à tous les soins qu'il faudra lui prodiguer. Cette finition éclatante est si facile à abîmer. Il suffit d'un cailloux ou d'une barre de fer."

Voilà un vendeur qui ne vendrait pas beaucoup de voitures. De même, ne vous attendez pas à ce qu'on vous dise la vérité, si celui qui vous parle croit avoir avantage à vous la cacher. Les Romains le disaient déjà:

"*Caveat emptor*" — "Que l'acheteur se méfie". Ce qui vaut pour les produits de consommation n'est-il pas encore plus valable quand il s'agit des idées, des croyances? Une voiture coûteuse peut vous ruiner, mais c'est votre esprit et votre bonheur de vivre que risquent d'abîmer une idée fausse, une croyance non fondée.

Adoptez le système qui vous donnera les meilleurs résultats. La confrontation de vos idées irréalistes à la réalité de façon régulière et périodique vous permettra d'utiliser cette méthode au moment même où se déclencheront en vous les émotions dont vous voudrez vous défaire. Il ne faut pas espérer pouvoir le faire si vous ne vous entraînez pas suffisamment. J'ai souvent expliqué aux personnes qui me consultent qu'il en va comme pour un entraînement sportif. Personne ne peut s'attendre, par exemple, à dévaler sans tomber des pistes abruptes à ski sans s'être d'abord longuement entraîné. Le skieur expert s'est adonné pendant des heures à ce sport avant d'arriver à y exceller et à franchir des obstacles devant lesquels le novice est impuissant.

De même, si vous voulez écarter rapidement et efficacement vos idées déprimantes quand elles font soudain irruption dans votre esprit, il vous sera indispensable de vous exercer longuement et régulièrement.

Ainsi, si M. Duval est l'objet d'un échec marqué et d'un rejet massif à un moment de sa vie, il va presque sûrement se déprimer au moins pendant un certain temps à moins qu'il ne se soit déjà exercé mentalement à détruire rapidement les idées qui vont surgir à son esprit à cette occasion.

Les personnes n'ayant jamais ou rarement subi des échecs cuisants dans un domaine ou l'autre et n'ayant jamais ou ayant été rarement exposées au rejet massif d'autrui seront plus susceptibles que d'autres de se déprimer. Il est en effet probable qu'elles auront depuis longtemps dans l'esprit les idées déprimantes qui vont se réveiller avec fureur à l'occasion de l'échec ou du rejet. C'est ainsi qu'on peut assister à des dépressions foudroyantes chez des êtres qui semblaient jouir d'un bon équilibre psychologique. Ainsi, une personne qui depuis des années aurait fondé son estime d'elle-même sur ses réussites et l'estime d'autrui pourrait bien s'effondrer quand sa réussite ferait place à l'échec et au rejet. Son état psychologique était fragile, mais cette fragilité n'était apparente pour personne, sauf peut-être pour celui dont l'oeil est exercé à déceler les failles dans le système de croyances de l'être humain. Après un coup de vent, certains arbres tombent et ce n'est qu'alors qu'on peut constater qu'ils étaient rongés de l'intérieur sans que rien ne paraisse à l'extérieur.

Que feriez-vous si quelque mécène s'engageait à vous verser trois millions de dollars à la condition que vous parveniez avant un an à courir le mille en moins de cinq minutes? Disons que vous ne pourriez parvenir actuellement à franchir un mille qu'en vingt minutes. Pensez-y: trois millions, c'est une jolie somme. Songez à tout ce que vous pourriez faire si vous possédiez cet argent.

N'est-il pas raisonnable de croire que vous commenceriez sans tarder à vous entraîner systématiquement, après avoir retenu les services d'un entraîneur compétent dans le domaine? À moins de quelque accident imprévisible, n'est-il pas probable que vous arriveriez à réussir l'épreuve à temps? Cela vous demanderait du temps, des efforts; on vous verrait au point du jour au gymnase ou sur la piste, vous surveilleriez votre alimentation, votre sommeil. Enfin, vous vous comporteriez de façon EFFICACE pour obtenir le résultat que vous recherchez.

Ici, personne ne vous promettra de millions. Mais, en revanche, vous pourriez, en vous entraînant systématiquement à combattre vos idées déprimantes et irréalistes, jouir d'une vie tellement plus agréable, joyeuse, sereine. Cela vous intéresse-t-il assez pour que vous consentiez à investir les efforts qui vous mèneront à ce résultat? Dites-vous bien par ailleurs que l'échec *complet* est impossible. Les efforts que vous consacrerez à changer vos idées produiront des changements au moins partiels dans un laps de temps plus ou moins prolongé. Tout comme pour l'entraînement physique, votre entraînement mental ne peut être *complètement* inutile. Même si vous ne consacrez qu'un total de dix heures à faire de l'exercice physique, vous allez constater certains résultats, sans doute modestes mais qui s'accroîtront à mesure que vous poursuivrez vos exercices. En vous exerçant à changer vos idées déprimantes, votre état ne peut que changer graduellement, lentement au début, puis plus rapidement et plus profondément à mesure que vous continuerez votre travail. Vous n'en arriverez peut-être jamais à demeurer complètement serein et détendu à l'occasion de la mort de votre conjoint, de la faillite de votre entreprise ou de votre incarcération pour trente ans, pas plus que physiquement vous n'arriverez peut-être jamais à remporter une médaille d'or aux Olympiques. Mais qu'importe? Votre conjoint ne peut mourir qu'une fois, votre entreprise ne fera peut-être pas faillite et il est douteux qu'on vous emprisonne. Et même si tout cela se produit et que vous vous déprimiez pendant quelques jours ou quelques semaines, ce n'est déjà pas si mal, n'est-ce-pas?

Ainsi donc, je vous recommande de vous tracer un programme d'entraînement mental de, disons, trois mois, en comptant quinze ou vingt minutes de gymnastique cognitive chaque jour. Vous aurez préalablement établi une liste provisoire de vos idées déprimantes principales que vous compléterez à mesure que d'autres idées surgiront à votre conscience. Je vous encourage à faire ce travail par écrit. Il ne s'agit que d'une méthode pour fixer votre attention; la plupart d'entre nous arrivons à penser plus lucidement quand nous écrivons que quand nous nous contentons de réfléchir purement mentalement. De plus, ces arguments que vous allez élaborer par écrit pourront vous servir plus tard, lors d'une éventuelle contre-offensive de vos idées dépressives. Ne vous hâtez donc pas de détruire ces documents.

Autant que possible, choisissez une ou des périodes fixes de la journée pour ce travail. Ce sera ainsi plus facile pour vous d'en prendre l'habitude. Il vaut probablement mieux pour vous qu'une de vos périodes d'entraînement se situe au début de la journée, peu de temps après votre réveil et avant le travail.

C'est surtout au début que vous serez tenté d'abandonner, surtout si vous vous attendez à des résultats instantanés et concluants. De plus, votre dépression sera sans doute alors à un stade avancée et absorbera une part importante de votre énergie. Tenez bon quand même: les résultats ne peuvent manquer de venir à la longue. Peut-être jugerez-vous utile à ce moment de consulter un spécialiste qui vous aidera à identifier les idées qui vous tourmentent et celles qui vous soutiendront dans votre lutte. Cependant ne perdez pas votre temps à consulter des gens dont l'intervention se borne à vous faire raconter votre vie en vous écoutant passivement. Si vous avez le goût de le faire, vous pourriez toujours raconter votre vie gratuitement à un barman quand la plus grande partie de votre dépression se sera résorbée. Pour l'instant, c'est à elle qu'il s'agit de vous attaquer, en utilisant les ressources de votre esprit. Il se peut que quelques consultations avec un spécialiste vous épargnent des tâtonnements inutiles et laborieux. Nul ne peut transformer vos idées à votre place, mais un spécialiste peut, grâce à son expérience et ses connaissances, vous aider à identifier certaines idées dépressives qui vous auraient échappé. Si, comme il est probable, vous en êtes à vos débuts, il se peut fort bien que vous ne voyiez tout simplement pas certaines idées qu'un spécialiste identifiera rapidement à partir de leurs effets. De nombreuses personnes que je rencontre connaissent précisément cette difficulté. Elles tentent résolument de changer les idées qui les dépriment mais se sentent encore souvent déprimées. Il arrive très souvent qu'elle n'ont pas identifié une ou des idées dépressives principales et que par conséquent, elles ne peuvent en venir à bout.

Ces idées continuent donc à produire leurs effets dépressifs au grand désarroi de la personne. Après tout, pour abattre un canard avec un fusil, il est indispensable que le canard soit bien dans le collimateur. Vous avez beau faire feu, il continuera à voler tant que vous ne l'aurez pas atteint. La qualité de vos plombs est importante, mais la justesse de votre tir ne l'est pas moins.

D'autre part, un spécialiste pourra sans doute vous proposer des arguments auxquels vous n'auriez pas pensé et que vous pourrez utiliser comme munitions pour abattre plus sûrement vos problèmes psychologiques. Que vous formuliez ces arguments vous-même ou qu'ils soient formulés par un autre, ce qui importe, c'est que vous en veniez à être convaincu de leur validité. Si vous ne faites que les répéter sans conviction, cela ne vous sera évidemment d'aucune utilité. Remarquez bien, comme je l'explique souvent, qu'il ne s'agit pas de les *croire*. La lutte contre les croyances irréalistes ne consiste pas à tenter de les remplacer par d'autres croyances aussi peu fondées que les premières.

Il ne s'agit pas de croire, il s'agit de *comprendre*, de *constater*, de se rendre à l'*évidence*, de *démontrer*. Je ne *crois* pas que le soleil se lève à l'est: je le *sais*, je peux le démontrer expérimentalement à l'aide d'une boussole. Je ne *crois* pas que l'eau bout à 100°C. Je peux le démontrer à l'aide d'un thermomètre. De même, vous n'avez pas à vous forcer à *croire* que vous êtes un être humain plutôt qu'un animal. Cela peut se *constater*, se *démontrer*, se prouver.

Une fois la démonstration faite de l'inanité de certaines de vos croyances, il vous faudra peut-être la reprendre plusieurs fois pour arriver à vous en convaincre. Vous savez combien certaines illusions, même physiques, sont tenaces. Par exemple, dans un ciel parsemé de nuages, la lune semble parfois à l'observateur courir derrière les nuages. On peut faire la démonstration qu'il n'en est rien, par exemple, en encadrant la lune entre deux doigts. On verra alors qu'elle ne bouge pas et que ce sont les nuages qui passent devant elle. Mais sitôt qu'on enlève sa main, voilà la lune qui semble encore bouger. C'est une illusion d'optique.

Certaines illusions cognitives sont encore bien plus tenaces. Après tout, vous vous êtes répété ces faussetés pendant peut-être des années et on ne cesse de les répéter autour de vous. Ces croyances se sont, en conséquence, ancrées dans votre esprit et sont constamment renforcées. Ce ne sont pas quelques efforts épars qui réussiront à les déloger, pas plus que quelques coups de hache au hasard n'abattront un chêne énorme, profondément enraciné.

Il se peut aussi malheureusement que le hasard de la vie vous mette en contact avec des personnes qui pensent de façon exceptionnellement irréaliste et déprimante. Ces gens ne peuvent pas vous *forcer* à penser comme eux, mais ils vous en fournissent l'occasion et, si votre esprit est encore embarrassé de faussetés et que vous n'avez que trop tendance à penser de façon erronée, il se peut que vous n'arriviez pas à résister à leur influence. Vous admettrez avec moi que, pour une personne qui tenterait de se sevrer de son alcoolisme, il ne serait guère judicieux de demeurer à côté d'un bar et de fréquenter des ivrognes, encore moins de conserver dans son domicile toute une collection de spiritueux.

C'est le moment de fuir autant que vous le pouvez. Si vous vous sentez déprimé, ce n'est pas le temps de fréquenter d'autres déprimés, à moins qu'ils ne soient en train de travailler résolument à se défaire de leurs idées dépressives. Fuyez votre tante Geneviève si elle a toujours la larme à l'oeil, votre oncle Albert s'il ne cesse de déplorer son sort.

La situation se complique quand il n'est vraiment pas pratique de s'éloigner d'autres déprimés: conjoint, parents, collègues de travail. Au moins est-il souvent possible de limiter les échanges avec eux au minimum, au moins temporairement. En fin de compte, il vous restera à vous rendre compte que personne ne peut vous faire penser d'une manière plutôt que d'une autre et que vous êtes le seul à savoir ce qui se passe dans votre esprit.

Passer à l'action

Voilà la seconde série de moyens que vous pouvez utiliser pour faire échec à vos sentiments dépressifs. Si vous êtes assez sérieusement déprimé, vous êtes probablement plus ou moins inactif. Vous tournez en rond sans rien accomplir, délaissant beaucoup des activités auxquelles vous vous livriez avant de vous sentir déprimé. Vous vous sentez incapable de rien entreprendre, tout vous apparaît ennuyeux ou trop fatigant, ou trop compliqué ou sans intérêt. J'ai connu des gens qui passaient le plus clair de leur temps couchés sur un lit ou un divan, à ressasser des idées noires. D'autres errent sans but, jetant sur tout un oeil morne.

Il est extrêmement important que vous retrouviez graduellement un taux raisonnable d'activités. Il en est ainsi parce que l'inactivité constitue un terrain propice où se développent les idées dépressives. Vous savez bien que quand votre esprit est occupé par ce que vous faites, il ne l'est pas par ces idées et, en conséquence, vous ne vous sentez pas déprimé.

De plus, l'action permet d'atteindre un résultat qui combat le sentiment dépressif: le succès. La plupart des gens tirent du succès la conclusion qu'ils sont bons, adroits, valables. Cette conclusion est infondée, comme nous l'avons déjà vu, mais comme vous n'arriverez probablement jamais à cesser complètement de vous évaluer en fonction de vos actes, autant utiliser les retombées positives d'une pensée fausse. Sans action, pas d'échec, mais pas de succès non plus. C'est là le risque de l'action, qu'elle se termine par un échec.

Ce danger peut cependant être largement écarté si vous vous proposez des objectifs que vous êtes presque certain de pouvoir atteindre. Les débuts vous sembleront peut-être pénibles comme ce l'est pour la brique qu'on pose au bas d'un mur ou le pas qu'on fait dans une direction. Cependant, vous savez bien que c'est à force de poser des briques qu'on construit un mur et que c'est en multipliant les pas qu'on finit par traverser un pays.

Il s'agit donc de vous fixer à vous-même des objectifs modestes, déterminés et précis, valables pour de courtes périodes. Je vous suggère de plus d'affecter à chacun de vos gestes un coefficient de difficulté allant, par exemple, de 1 à 10 ou toute autre échelle qu'il vous plaira d'adopter. Voici comment procéder.

Commencez par faire une liste de gestes que vous pourriez accomplir, puis, selon que vous trouvez ces gestes plus ou moins ardus *pour vous actuellement* (peu importe les autres ou ce que vous accomplissiez avant de vous sentir déprimé), donnez à chacun un coefficient de difficulté.

Votre liste pourrait ressembler à ceci:

ACTIONS	COEFFICIENT DE DIFFICULTÉ
1. Promener le chien 10 minutes	2
2. Poser un cadre	2
3. Vider le lave-vaisselle	3
4. Laver une vitre	2
5. Faire le café	1
6. Passer l'aspirateur dans le salon	3
7. Arroser la pelouse 10 minutes	3
8. Lire trois pages d'un livre	3
9. Me brosser les dents	2
10. Téléphoner à un ami	6
11. Sortir avec un ami un soir	6
12. Aller seul au cinéma	8
13. Poser une question en classe	7
14. Caresser mon conjoint 2 minutes	7
15. Faire l'amour	10

La prochaine étape consiste à vous fixer un total quotidien de points à atteindre. Vous pourriez, par exemple, décider de commencer par atteindre un total quotidien de 15 points pour les trois premiers jours, puis 18 pour les trois jours suivants, et ainsi de suite. Le tout est d'y aller graduellement, en ne vous bousculant pas et en ne vous fixant pas des objectifs irréalistes, compte tenu de votre état dépressif actuel. Avec le temps, vous en viendrez à augmenter la cadence.

À l'aide d'une simple feuille de papier quadrillé, dressez un graphique des résultats obtenus. Vous y reporterez chaque jour votre score et pourrez ainsi constater l'amélioration.

Un tel graphique pourrait ressembler à ceci:

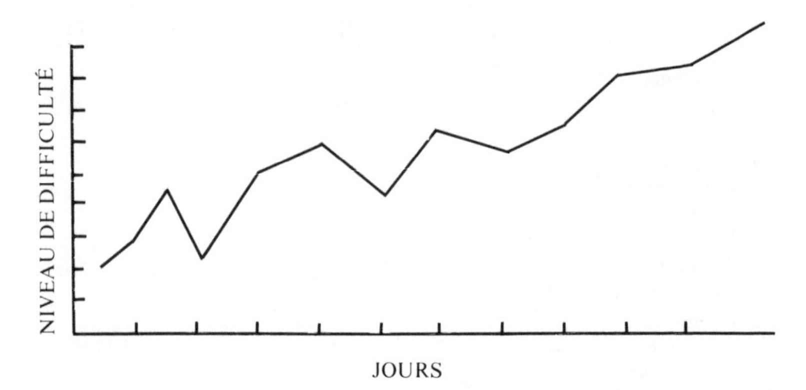

Vous voyez qu'en agissant ainsi, vous vous trouvez à appuyer la démarche mentale que vous poursuivez. En effet, il vous sera plus facile de vous en prendre aux idées qui suscitent la dépression si vous avez sous les yeux la représentation symbolique de vos succès accumulés.

Si vous poursuivez cette démarche pendant un temps suffisant, il n'y a pas de raison pour que l'état dépressif, déjà atténué par votre réflexion logique, résiste bien longtemps.

Si vous le jugez à propos, vous pourriez également décider de vous accorder quelque gratification quand vous aurez atteint une étape. C'est le système que j'ai décrit ailleurs sous le nom de "garde-fou". Il vaut mieux, si vous vous sentez déprimé, que vous n'utilisiez que des garde-fous positifs. Ainsi, par exemple, vous pourriez décider d'avance que quand vous aurez accumulé cinquante points, vous vous accoderez quelque chose qui vous plaît, que ce soit un morceau de tarte aux pommes ou un martini bien sec.

Vous trouverez peut-être que ce système est très élémentaire, infantile, indigne de vous. Je vous répondrai que la seule question qui importe est celle de savoir s'il vous apportera les résultats escomptés. Ne vaut-il pas mieux s'interroger sur l'efficacité des moyens que sur leur élégance? Au moment où j'écris ces lignes, je ne suis pas particulièrement déprimé et pourtant j'écris en utilisant continuellement des garde-fous, négatifs mais surtout positifs. C'est ainsi d'ailleurs que j'ai écrit onze volumes et que j'en ai traduit un au cours des douze dernières années. J'ai toujours utilisé des garde-fous pour ce travail, sauf pour mon premier livre; il faut dire aussi que j'ai pris plus d'un an à l'écrire, tant je m'y prenais mal. Vous pensez bien que c'est avec enthousiasme que je vous recommande ce système qui a été aussi efficace pour moi.

Mais je ne suis pas le seul. Les personnes que je suis parvenu à convaincre d'utiliser ces méthodes simples s'en sont dites satisfaites, constatant que les sentiments dépressifs ne résistent pas interminablement au double facteur de la confrontation des idées au réel et du passage aux actes.

Comme vous le voyez, il ne s'agit pas de vous lancer dans des actions d'éclat ou des entreprises compliquées. Cependant, à mesure que votre dépression s'estompe, rien ne vous empêche de continuer à utiliser les mêmes techniques, en les adaptant à votre état psychologique. Il serait vraiment stupide de cesser sous prétexte que maintenant, vous n'êtes plus déprimé. Il se pourrait qu'ainsi, en y allant graduellement et en ne brûlant pas les étapes, vous arriviez à réaliser une de choses que vous croyiez impossibles pour vous. N'est-il pas vrai que vous passeriez ainsi des jours plus agréables, même si une grande partie de votre temps doit être consacré à un travail qui ne vous plaît peut-être guère. La plupart des Occidentaux passent rarement plus de cinquante heures à leur travail chaque semaine. C'est beaucoup, direz-vous, mais c'est loin d'être tout. Il vous reste encore au moins autant de temps pour faire autre chose. Apprenez le Chinois, faites des confitures, intéressez-vous à la poterie, à la vannerie, au tricot, à que sais-je encore. Mais FAITES quelque chose. Beaucoup de personnes que je rencontre passent leurs loisirs de façon passive. Elles se rivent à leur téléviseur, lisent, rêvent d'une vie meilleure, et s'ennuient. Quand elles finissent par se secouer et agir, la vie leur plaît davantage et elles sont moins susceptibles de se déprimer. Leur expérience peut être la vôtre, si vous ne vous entêtez pas maniaquement à poursuivre des objectifs que vous n'atteindrez peut-être jamais, tout en laissant le temps vous filer entre les doigts, emportant avec lui les plaisirs auxquels vous aurez refusé de goûter. Est-il logique de se laisser mourir de soif auprès d'une source, sous prétexte que ce n'est que de l'eau et non un bon vin? Et l'est-il plus de passer une soirée à s'ennuyer ferme sous prétexte que Jean-Paul n'est pas disponible ou qu'Agathe est absente. Décidément, il y a mieux à faire si vous voulez que votre vie "goûte" quelque chose. Car c'est bien ce dont se plaignent de nombreux déprimés: ma vie est terne, sans saveur. Comment voulez-vous goûter la saveur de la pomme si vous ne faites qu'y mordre timidement sous prétexte qu'elle pourrait renfermer quelque ver, ou que vous pourriez vous casser une dent? Cela ne m'étonnerait pas que vous disiez que les pommes ne goûtent pas grand-chose ou que vous menez une vie terne. Il faudrait secouer votre inertie et découvrir ce monde qui vous entoure avant de le quitter. "Qui ne risque rien n'a rien" dit le proverbe, et ce serait déjà pas mal de se risquer. Mais celui qui n'investit que parcimonieusement obtient moins que rien. L'ennui, la tristesse, la dépression seront sa part. Cette inaction constitue un véritable sabotage personnel; à force de ne pas servir, ces capacités personnelles qui sont les vôtres finissent par s'émousser et il vous deviendra de plus en plus ardu d'extraire de la vie le plaisir qu'elle renferme. Vous pouvez vous attendre ainsi à une vieillesse ennuyeuse. Au moins, nos ancêtres déprimés ne dépassaient guère quarante ou cinquante ans. Mais, aujourd'hui, les déprimés vivent vieux et disposent d'encore plus de temps pour s'empoisonner une vie qu'ils ne se décident pas à quitter.

La vie d'un grand nombre de personnes semble incroyablement terne. Ils se lèvent chaque matin à la même heure, boivent le même café à la hâte pour s'entasser ensuite dans le même métro, ils passent leurs journées à faire à peu près le même travail avec les mêmes personnes, reviennent chez eux le soir par le même chemin et finissent cette journée monotone en s'endormant du même côté dans un lit qu'ils n'ont pas déplacé depuis quinze ans. Ils ont "leurs habitudes". Mais ces habitudes creusent leur tombe avant qu'ils ne soient morts.

Une telle routine offre bien sûr un terrain de choix pour la dépression. Ces personnes redoutent tellement tout changement qu'elles enferment leur vie dans un cadre d'une désolante monotonie. Un petit nombre de ces personnes sont pratiquement contraintes pour des raisons de santé ou des raisons économiques de vivre ainsi. Mais la majorité d'entre elles pourraient sans difficulté introduire plus de variété dans leur existence. Si elles ne le font pas, c'est en général à cause de la présence de l'anxiété, émotion qu'elles suscitent en imaginant des dangers inexistants ou du moins en exagérant leurs dimensions, de même que leur présumée inaptitude à y faire face. M. Hébert accomplit le même travail depuis trente ans: il n'a jamais osé postuler un autre poste ou chercher un autre emploi. Les Latreille ne vont jamais en vacances; ils en ont les moyens mais craignent les avions, les étrangers, les hôtels, la cuisine exotique. Lucille Laperle mange un oeuf à la coque tous les matins: elle "sait" que les sept cents autres manières d'apprêter les oeufs ne lui plairont pas. Et voilà des gens qui souvent se plaignent que la vie est monotone, sans intérêt, sans se rendre compte que c'est eux qui la rendent telle avec leur routine inspirée par la peur.

Examinez votre vie et voyez si vous ne seriez pas paralysé par des habitudes rigides et monotones. Si vous vous sentez déprimé, c'est probablement que vous l'êtes. Pourquoi ne vous décidez-vous pas à introduire un élément de variété chaque jour, chaque semaine, chaque mois. Ce peut être n'importe quoi: vous coiffer d'une manière nouvelle, varier votre menu du petit déjeuner, visiter un quartier de la ville où vous n'allez jamais, écouter une émission de radio que vous n'écoutez pas habituellement. Il y a des milliers de petites expériences que vous pouvez tenter. Elles ne vous plairont pas toutes mais à l'occasion de certaines d'entre elles vous découvrirez des éléments agréables qui viendront pimenter une vie trop fade.

Forcez-vous donc à introduire de la nouveauté, de la variété dans votre vie. La monotonie engendre souvent l'ennui et la tristesse qui, à leur tour, fournissent l'occasion à la dépression de s'immiscer.

Voilà donc le deuxième moyen que vous pouvez utiliser pour tenter de surmonter votre dépression. Simultanément, vous utiliserez votre énergie, quelque réduite qu'elle soit, à ébranler vos idées dépressives et irréalistes *et* à vous engager dans l'accomplissement de projets, modestes d'abord, puis progressivement plus élaborés. Tout cela prendra temps et efforts mais c'est de votre joie de vivre qu'il s'agit.

Chapitre IV

Deux cas

Dans ce chapitre, je veux vous présenter à titre d'illustration l'évolution suivie par deux personnes qui ont réussi plus ou moins rapidement à surmonter leur dépression. Vous pourrez mieux comprendre l'ensemble de la démarche. Il va sans dire que j'ai modifié tous les détails qui permettraient d'identifier ces personnes.

1. Bernard G.

Première entrevue

Bernard G. se présente à mon bureau au début de novembre. Mince, de petite taille, les traits tirés. Il déclare avoir 38 ans. Il se plaint de ne pas trouver le sommeil et d'être hanté de pensées suicidaires. Il est en instance de divorce, à sa propre demande. Sa femme, à ce que dit Bernard G., a été victime de troubles mentaux qui l'ont portée à s'attaquer à lui ainsi qu'à leur petite fille Jocelyne (10 ans) à coups de couteau. Internée, elle est sortie de l'hôpital psychiatrique depuis quelques semaines et vit chez une amie.

Bernard G. gagne sa vie comme traducteur au sein d'une firme spécialisée. Il parle couramment quatre langues. Depuis plus de six mois, il se sent fortement déprimé, incapable de s'intéresser à quoi que ce soit. Son travail est devenu un fardeau et il supporte difficilement la petite Jocelyne. Son emploi du temps se résume à travailler, à s'occuper tant bien que mal de sa fille et de l'entretien de son appartement. Une fois l'enfant couchée, Bernard G. entame de longues rêveries moroses, en tête-à-tête avec une bouteille d'alcool. Il n'a guère d'appétit et a perdu près de 15 kilos.

À la suggestion d'un collègue de travail, il a rencontré un thérapeute qui lui a suggéré de se joindre à un groupe de thérapie. Bernard G. a participé aux rencontres une dizaine de fois, restant surtout silencieux et écoutant les autres membres du groupe raconter, interminablement dit-il, leurs malheurs et leurs sentiments dépressifs.

En racontant cela, Bernard G. fond en sanglots. Après quelques minutes, la conversation reprend entre nous. Il n'est pas difficile d'identifier les émotions de Bernard G. Ce sont celles de tous les déprimés. Il est persuadé qu'il est un être déchu. Cette évaluation négative de lui-même, source première de sa dépression, il la tire de ses comportements envers sa femme et sa fille. Il se reproche d'avoir demandé le divorce, de mal s'occuper de la petite, de négliger son travail, de trop boire, enfin, d'être déprimé. Cette dernière pensée cause chez lui une

DÉPRESSION SECONDE, dans laquelle une personne se déprime à cause d'une première dépression.

À sa dépression et à son sentiment de culpabilité s'ajoutent évidemment la tristesse et le désespoir. Bernard G. trouve sa vie malheureuse. Il déplore l'échec de son mariage, les difficultés qu'il a à éduquer seul sa fille; il déplore également sa petite taille et son manque de vigueur physique. Même sa figure ne lui plaît pas bien qu'elle ne présente aucun trait exceptionnel. Quant à l'avenir, il lui apparaît sombre, sans espoir. Il a quitté le groupe thérapeutique il y a deux semaines, se disant qu'il n'en tirait rien et qu'il revenait de ces rencontres encore plus déprimé qu'auparavant.

Quelques questions me permettent de conclure que, comme presque tous les hommes, Bernard G. attribue sa dépression aux malheurs de son existence. Selon lui, ce sont les difficultés de son mariage qui en sont la cause, bien qu'il pense aussi qu'une éducation rigoureuse et la présence d'un père désapprobateur aient pu l'accentuer.

Lors de cette première entrevue, je n'explique que sommairement à Bernard G. les bases cognitives de sa dépression. Je veux surtout piquer sa curiosité, ce que je fais en lui demandant si tous les hommes dans la même situation que lui cèdent à la dépression. Il répond qu'il n'en sait rien et que cela lui est bien égal. J'insiste en lui demandant s'il est *concevable* qu'une seule personne, placée dans les mêmes circonstances, n'ait pas subi de dépression. Il avoue que c'est concevable. Je lui demande comment il pense se tirer de sa dépression si cette dernière est due à des causes qu'il ne peut pas contrôler (l'échec de son mariage). Il ne répond rien mais je vois bien qu'il réfléchit. Je termine l'entrevue en lui suggérant de lire *S'aider soi-même.* Nous prenons rendez-vous dans dix jours. En le quittant, je lui serre la main et lui réitère mon désir de collaborer avec lui à l'amélioration de son état émotif.

Deuxième entrevue: mi-novembre

Bernard G. se présente avec le même air abattu et renfrogné. Il déclare se sentir toujours aussi mal en point. Les dix derniers jours ont été un "enfer" dit-il. Sa femme lui cause toutes sortes d'ennuis et Jocelyne est insupportable. Elle ne cesse de lui réclamer toutes sortes de privilèges et commence à refuser d'aller à l'école, prétextant des maladies que Bernard G. soupçonne d'être imaginaires.

Bernard G. déclare qu'il a commencé à lire *S'aider soi-même* mais qu'il est tellement déprimé qu'après quelques pages seulement, il a refermé le livre et est retourné à ses rêveries morbides. Il en a lu assez pour commencer à comprendre le rôle que jouent ses idées dans son désespoir. Je passe un bon bout de temps à identifier avec lui les principales idées qui s'agitent habituellement dans son esprit: "Je suis un être misérable. Je n'aurais pas dû demander le divorce. Je suis un mauvais père pour Jocelyne." Comme toujours, je procède de façon intuitive, c'est-à-dire que je demande de façon répétée à Bernard G. sur quoi il se base pour appuyer ses dires. Par exemple:

B.G. Je n'aurais jamais dû demander le divorce. Ça prend un beau salaud pour laisser tomber sa femme quand elle est malade.

L.A. En quoi le fait de laisser tomber ta femme te tranforme-t-il en salaud? Qu'est-ce qu'un salaud?

B.G. Un salaud, c'est un type qui fait des choses comme ça...

L.A. Ainsi donc, puisque tu manges et que les cochons le font aussi, cela fait de toi un cochon?

B.G. Que voulez-vous dire?

L.A. Précisément ce que je viens de dire. Tu dis que tu es un salaud parce que tu as fais ce que tu appelles un geste de salaud. Mais tu fais d'autres gestes aussi, comme manger, dormir, marcher. Les cochons, les chevaux, les ânes les font aussi et pourtant tu ne te qualifies pas de cochon, de cheval ou d'âne. Pourquoi pas, puisque tu poses des gestes de cochon, de cheval et d'âne?

B.G. Mais je ne suis pas un âne parce que je pose certains actes d'ânes.

L.A. Je le sais bien, mais je ne suis pas certain que tu le sais, toi. Pourquoi t'appelles-tu toi-même salaud quand tu poses un geste que tu penses être celui d'un salaud?

B.G. Vous voulez dire que ça n'a pas de bon sens.

L.A. Exactement, pas plus que de dire que tu es un cheval parce que comme le cheval, tu lâches parfois des pets.

B.G. Mais alors, si je ne suis pas un salaud, que suis-je donc? J'ai pourtant posé un geste de salaud en demandant le divorce.

L.A. Nous pourrons toujours y revenir, mais en admettant que ce *geste* en soit un de salaud, que fait-il de toi?

B.G. Pas un salaud, je le vois bien. Mais quoi alors?

L.A. Devine.

B.G. Rien du tout. Je ne suis pas différent parce que je l'ai posé.

L.A. En effet, tu demeures le même être humain que si tu n'avais pas posé ce geste. Ni ton identité, ni ta nature, ni ta valeur ne sont changées.

La conversation continue dans ce style. J'interviens de façon active pour amener Bernard G. à identifier les idées qui le dépriment et l'aider à les mettre en question, à en critiquer la validité. Bernard G. se laisse prendre au jeu. Il semble moins abattu qu'au début de la rencontre. Utilisant papier et crayon, je lui montre comment confronter par écrit les idées qui lui traversent l'esprit. L'entrevue se termine. Je propose à Bernard G. de continuer à lire *S'aider soi-même* et de commencer à confronter ses idées au réel par écrit. Il déclare qu'il va le faire et je l'engage à apporter ses notes à la prochaine entrevue. Nous convenons d'un rendez-vous dix jours plus tard.

Troisième entrevue: fin novembre

Bernard G. arrive à l'entrevue muni d'un cahier où il a consigné une dizaine de notes. Une bonne partie de l'entrevue se passe à les réviser et à les rendre encore plus claires. Certains arguments utilisés par Bernard G. pour contrer ses idées dépressives sont plus "positifs" que fondés. Je travaille avec lui à éclaircir ces points.

Durant le temps qui nous reste, je commence à explorer avec Bernard G. la possibilité qu'il introduise plus d'activité et de variété dans ses occupations quotidiennes. Il reconnaît que ses longues rêveries de chaque soir ne font que le déprimer davantage. Je lui propose d'imaginer des activités simples qui peuvent occuper ses soirées de façon plus constructive. Nous dressons sur-le-champ une liste d'une quinzaine d'activités qu'il peut accomplir le soir sans s'épuiser. Bernard G. déclare qu'il va s'efforcer de mettre ce programme en pratique. Prochain rendez-vous quinze jours plus tard.

Quatrième entrevue: mi-décembre

Bernard G. se présente à l'entrevue d'un air assez abattu. Tout va mal, dit-il, Noël approche et le souvenir des Noëls passés le tourmente. Il n'a rédigé que deux notes et, après le premier soir, il a laissé tomber son programme d'activités pour recommencer à ruminer ses malheurs. Sa consommation d'alcool qui avait notablement diminué a augmenté d'une façon importante. Il dit qu'il voit bien qu'il ne s'en sortira jamais, que sa dépression est trop avancée, qu'il ne lui reste qu'à retourner son fusil de chasse contre lui. Je lui demande pourquoi il ne l'a pas fait. Il répond que c'est à cause de Jocelyne et de l'horreur qu'elle ressentirait en découvrant son cadavre défiguré. Nous examinons la possibilité qu'il aille se tuer ailleurs qu'à la maison, ou qu'il remette son suicide à plus tard, quand il pourra croire que Jocelyne a acquis suffisamment de maturité pour à la fois supporter le choc de son suicide et se passer de ses soins. Bernard G. dit que cela prendra plusieurs années. En effet, dis-je, et en attendant, que vaut-il mieux faire? Ceci semble rassurer Bernard G.: la perspective que son suicide demeure toujours possible et que cette porte de sortie ne lui sera vraisemblablement jamais interdite semble le soulager.

Nous réfléchissons ensemble à la manière dont il a passé les deux dernières semaines. En les examinant de près, Bernard G. s'aperçoit qu'il exagère l'importance de sa dépression. En fait, *TOUT* n'a pas mal été pendant cette période. Ainsi, sa santé, si elle ne s'est pas améliorée ne s'est pas non plus détériorée. Il a terminé la traduction d'un texte difficile et son patron l'a complimenté. Il ne s'est pas saoulé chaque soir, comme il le disait en arrivant, mais seulement sept fois. De plus, le premier soir, il a mis de l'ordre dans la cuisine et rangé des papiers dans son bureau.

J'introduis la notion que toute tristesse peut être évitée et que cela constitue un état déprimant et inutile. Bernard G. écoute avec attention et pose des questions. Il semble comprendre comment sa tristesse repose sur des idées non fondées qu'il n'est pas forcé d'entretenir. L'entrevue se termine par un échange sur la période de Noël et sur les présents qu'il se propose de faire à Jocelyne. Avant qu'il ne parte, je lui propose encore une fois de continuer sa lecture de *S'aider soi-même*, de rédiger régulièrement des notes et d'occuper activement ses soirées. Nous prenons rendez-vous pour le début de janvier.

Cinquième rendez-vous: début janvier

Les fêtes de Noël et du Jour de l'An se sont mieux passées que Bernard G. ne le croyait. Quelques jours de vacances lui ont permis de se reposer. De plus, sa femme s'est faite moins assommante que d'habitude. Il a rédigé plusieurs notes et leur qualité s'améliore. Il est aussi plus actif, passant moins de temps à ruminer ses malheurs. Il a été un peu malade pendant quelques jours, mais cela ne semble pas l'avoir abattu outre mesure.

Nous passons une grande partie de l'entrevue à discuter de sa responsabilité et de sa liberté. La culpabilité de Bernard G. ne cesse de décroître à mesure qu'il réalise qu'il est faux pour lui de croire qu'il aurait dû mener sa vie autrement qu'il ne l'a fait. Du même coup son hostilité envers son épouse diminue aussi. Il ne la rend plus responsable de tous ses malheurs et concède qu'elle, comme lui, ne conservent qu'une part réduite de responsabilité dans les événements qui se sont passés. Bernard G. devient capable de rire un peu de lui-même, même si sa situation demeure difficile et s'il est encore sujet à des périodes de cafard plus ou moins profondes. Bernard déclare que son cahier de notes ne le quitte guère. Nous en examinons quelques-unes et il semble s'en tirer fort bien. Prochain rendez-vous dans trois semaines.

Sixième entrevue: fin janvier

Bernard G. doit se présenter en cour pour son divorce dans les jours qui viennent. Ses idées dépressives font une nouvelle offensive mais il leur résiste. Son cahier de notes lui sert à les contrer. Il est de plus en plus actif pendant nos rencontres et mon rôle se borne souvent à préciser un détail ou à renforcer un argument qu'il a lui-même formulé.

Le degré d'activité de Bernard s'accroît aussi. Il est allé au restaurant avec des amis. Il peut aussi rester plus calme devant les éruptions émotives de sa fille. Nous parlons d'elle pendant un bon moment et je l'aide à élaborer des stratégies moins éprouvantes pour lui dans ses contacts avec sa fille. Il comprend que son divorce donne l'occasion à sa fillette de se troubler et devient plus tolérant et moins exigeant envers elle. Nous parlons un peu de l'enfance de Bernard et il y discerne les occasions qui lui ont servi à apprendre à se déprécier lui-même.

Peu ou pas d'hostilité envers ses propres parents qu'il commence à percevoir comme des victimes au même titre que lui de leurs perceptions et des événements de leur vie. Nous prenons rendez-vous pour le mois suivant.

Septième entrevue: fin février

Bernard a obtenu son divorce sans anicroches notoires. Il conserve la garde de sa fille, ce qu'il souhaitait beaucoup. Il a vu sa femme à cette occasion et, sans être très chaleureux, leurs rapports n'ont pas été hostiles, du moins de la part de Bernard. Sa dépression devient de plus en plus légère et passagère et il commence à se demander comment il a bien pu se sentir à ce point déprimé. Dans ses loisirs, Bernard s'est mis à écrire des contes qu'il désire proposer à une revue. Il ne boit plus qu'à l'occasion, quand il est avec des amis et ne s'est pas enivré depuis deux mois. Nous commençons à entrevoir la fin de nos rencontres. Cependant, Bernard me demande de le recevoir encore trois fois. Il a lu très attentivement *S'aider soi-même* en soulignant tous les points qui lui semblent discutables. Je suis d'accord à la condition que nos discussions continuent à lui être utiles.

Huitième, neuvième et dixième entrevues: de la mi-mars à la fin avril

Chaque entrevue se déroule de manière assez similaire. Bernard pose ses objections: nous réfléchissons ensemble, précisons certaines expressions et appliquons la théorie à sa vie personnelle. Ses questions m'amènent à raffiner ma pensée sur plusieurs points. Nos échanges deviennent de plus en plus fraternels et nous badinons à l'occasion. Bernard entreprend une synthèse de sa démarche depuis le mois de novembre. Il dégage les points principaux de sa dépression. Sa confiance en lui-même est de plus en plus grande. Il se sent, dit-il, armé contre les idées qui pourraient surgir à son esprit. Ses contacts sociaux se multiplient: lui qui ne parlait presque plus à personne se surprend à converser avec ses collègues de travail. Il a abandonné son habitude de prendre seul son repas du midi et se joint habituellement à des amis. Sa tolérance envers autrui a considérablement augmenté et il se sent donc bien moins souvent en colère. Quant à son visage, il ne lui plaît toujours pas, "mais, dit-il avec le sourire, je ne vais pas me couper la tête parce que j'ai de grandes oreilles." Il dit que ce qui l'aide le plus est de se répéter souvent: "Je suis un être humain". Cette pensée a pris la place du chapelet d'injures qu'il se débitait à lui-même. Nous nous quittons finalement sur une bonne poignée de main, alors que je lui rappelle que je demeure à sa disposition si jamais il jugeait que mon intervention puisse lui être utile.

Rappel: fin octobre

Je téléphone à Bernard G. six mois après notre dernière entrevue. Il semble d'excellente humeur, malgré quelques ennuis à son travail. Nous échangeons pendant quelques minutes et il me répète qu'il garde à portée de main son cahier de notes et n'hésite pas à en rédiger quelques-unes quand il se sent quelque peu abattu. Il semble se rendre compte que la partie ne sera jamais sans doute complètement gagnée et qu'il devra de nouveau faire face à ses idées dépressives quand elles surgiront de nouveau.

2. Claudine M.

Première entrevue: début janvier

Dès le début de l'entrevue, Claudine M. me demande si je fume. Quand je réponds que oui, elle s'exclame qu'elle devra donc supporter la pollution de l'air, que ceci se rajoute à ses ennuis. Je lui dis que je regrette que la fumée lui soit aussi désagréable, que je vais aérer la pièce et m'efforcer de fumer moins. Décidément, elle semble très hostile.

L'histoire qu'elle me raconte explique son état émotif. Elle est mariée depuis dix-huit ans, dit-elle, à un homme qui la déteste et la méprise. D'ailleurs, il a bien raison de la mépriser car elle est la pire des femmes imaginables. Elle a toujours détesté une foule de gens: ses parents d'abord, son frère et sa soeur, puis son mari, au moins deux de ses enfants, les autres membres de sa famille: oncles, tantes, grands-parents.

Elle n'aime personne, dit-elle, mais la personne qu'elle déteste le plus est elle-même. Ce sentiment de haine, elle l'a toujours caché, sauf à son mari. Ce dernier lui répète qu'elle n'est qu'une folle, incapable de bien faire quoi que ce soit. Pourtant, elle a travaillé pendant quelques mois mais a laissé son travail parce que ce dernier l'ennuyait. Ses employeurs semblaient satisfaits de ses services. Son mari est administrateur dans un hôpital de dimension moyenne. Elle le décrit comme autoritaire et hypocrite, tout sourire devant les autres et qui se moque cruellement d'autrui dans son dos.

Claudine M. se dit très déprimée. Ses émotions oscillent entre la fureur et l'abattement. Elle reste prostrée pendant des journées entières, refusant de s'alimenter. Elle reste de longues heures à ruminer ses malheurs et les torts que les autres lui ont causés.

D'autre part, elle répète sans cesse qu'elle est une horrible personne coupable de détester tout le monde, incapable de se comporter adéquatement, un déchet de l'humanité qu'il vaudrait mieux enfermer. Elle se sent surtout coupable de détester ses parents mais du même souffle décrit comment ils l'ont élevée de façon très sévère, l'épiant sans cesse, lui interdisant tout contact avec les garçons de son âge, la harcelant à propos de ses études.

Claudine M. ne semble avoir aucune notion nette du rôle de ses idées au niveau de ses émotions. Elle les attribue aux actes des autres, notamment de son mari et de deux de ses enfants. Tout de même, elle semble soupçonner que tout ne tourne pas rond en elle; il lui semble parfois que sa tête va éclater, elle passe de la fureur au désespoir et cet état la terrifie. Elle pense devenir folle sous peu et me conjure de l'aider. Son hostilité initiale à mon égard semble s'être évanouie, quoiqu'elle déclare qu'elle en veut aux hommes en général.

Je lui propose de travailler à l'aider si elle le juge utile. Elle répond qu'elle ne sait pas si elle reviendra. Je lui explique qu'elle est évidemment tout à fait libre de sa décision mais que,si elle décide de revenir, je lui suggère de lire *S'aider soi-même*, avant notre prochaine rencontre. Aucune réaction de sa part. Elle me quitte sans prendre rendez-vous.

Deuxième entrevue: milieu janvier

Claudine M. prend rendez-vous par téléphone auprès de ma secrétaire. Elle se présente deux semaines après la première rencontre.

Elle déclare d'abord qu'elle a lu rapidement *S'aider soi-même* qu'elle qualifie de ramassis de banalités à l'usage des imbéciles. Suivent quelques observations négatives sur le mobilier de mon bureau, sa décoration. Décidément, elle semble décidée à me faire sortir de mes gonds. Je lui demande sans hostilité si elle a parcouru tant de chemin pour venir me faire part de ses commentaires sur mon livre, mes meubles et ma personne. Sur ce, elle éclate en sanglots et gémit que son comportement est bien la preuve de sa déchéance, qu'il y a quelque chose en elle qui la pousse à détester et à tenter de détruire tous ceux qui l'approchent. Je laisse passer l'orage.

À la longue, Claudine M. reprend ses sens et nous amorçons une longue conversation où elle se vide le coeur. Une quantité énorme d'hostilité refoulée remonte à la surface. J'écoute presque sans intervenir. Le déferlement de fureur se poursuit pendant presque toute la période de quarante-cinq minutes. À la fin, Claudine M. s'éponge les yeux et quitte mon bureau après avoir pris rendez-vous pour la semaine suivante.

Troisième entrevue: fin janvier

Claudine M. commence par s'excuser de son explosion de la dernière fois. Je lui demande pourquoi elle s'excuse, puisqu'elle a bien le droit de faire ce qu'elle veut. Ceci semble la surprendre et me donne l'occasion de sonder avec elle les idées qui sous-tendent sa culpabilité et son hostilité. Comme il fallait s'y attendre, l'idée qu'elle ne DEVRAIT PAS faire ce qu'elle fait et que les autres ne DEVRAIENT PAS agir comme ils le font est une de ses idées favorites. Elle se manifeste à propos de presque chacune des actions de Claudine M. En conséquence, elle se sent coupable presque sans arrêt depuis des années. À son tour, cette culpabilité se trouve à la racine de ses sentiments dépressifs et hostiles. Je travaille avec elle à distinguer la CAUSE et les OCCASIONS qui ont donné lieu à ses émotions. Une fois ou l'autre, Claudine redevient hostile envers moi et j'utilise ces occasions pour examiner les idées qui s'agitent à ce moment dans son esprit. Claudine M. me dit qu'elle s'étonne de ne pas me voir répondre à son hostilité par ma propre hostilité. Elle me soupçonne, dit-elle, d'être hostile envers elle mais de le cacher, comme elle le fait elle-même. Je l'engage à me surveiller car, si elle a raison, mes sentiments hostiles ne devraient pas tarder à lui apparaître. En fait, je ne me sens aucunement hostile, mais plutôt stimulé à l'idée de parvenir à aider cette cliente rébarbative dans sa détresse. Nous continuons à examiner ses idées et je commence à l'initier à la confrontation. Ce n'est guère facile, Claudine ayant beaucoup de difficulté à admettre que chacun sur cette planète a parfaitement le droit de se comporter comme il le fait, même si ses gestes sont stupides, destructeurs. J'attaque sans arrêt ses sentiments de culpabilité en mettant en question les idées sous-jacentes. Claudine M. donne des signes de fatigue et je me sens moi-même assez épuisé. Elle me quitte en prenant rendez-vous pour la semaine suivante, non sans que je l'aie invitée à réviser dans son esprit les sujets sur lesquels nous avons échangé.

Quatrième entrevue: début février

L'entrevue entière se passe à discuter des idées sous-jacentes à la culpabilité et à l'hostilité. Claudine M. raconte qu'elle a eu une dispute enflammée avec son mari et qu'ensuite elle s'est sentie déprimée pour trois jours. Nous analysons dans le détail ses idées à propos de cet événement. Je commence aussi à attaquer sa passivité et son inactivité. Claudine M. se met en colère, dit que je suis comme tous les autres, que je ne veux que la blâmer et l'humilier, que c'est fini, qu'elle ne reviendra jamais, que tous les psychologues ne sont que des imbéciles et des menteurs. Sans lui donner le temps de reprendre son souffle, j'attaque encore ses idées, tentant de lui faire prendre conscience de sa réprobation par rapport à mon comportement, etc. Elle se calme et nous continuons à discuter ferme, mais sans hostilité de sa part. Elle semble comprendre son hypersensibilité à tout ce qui peut lui apparaître comme un blâme, ce qui n'a rien d'étonnant compte tenu de la culpabilité qu'elle ressent. L'entrevue se termine par ma recommandation à Claudine M. de commencer à noter par écrit ses idées irréalistes. Je lui suggère d'apporter ces notes lors de notre prochaine rencontre. Elle ne semble guère enthousiaste et se retire en prenant rendez-vous dans deux semaines.

Cinquième entrevue: mi-février

Claudine M. se présente à l'entrevue. Elle dit qu'elle a rédigé quelques notes mais les a oubliées chez elle. Je soupçonne tout de suite qu'en fait elle ne veut pas me les montrer de peur que je ne la critique. J'émets cette hypothèse et, après avoir nié qu'il en soit ainsi, elle finit par admettre que c'est bien le cas. Elle ajoute que je dois la mépriser intérieurement et me sentir soulagé quand elle quitte mon bureau. Je lui demande quel besoin elle a de mon affection et de mon approbation. Comme je ne pourrai jamais lui démontrer que je ne la méprise pas, puisque alors il faudrait qu'elle puisse lire dans mon esprit, pourquoi attache-t-elle tant d'importance à mon approbation? Elle rétorque qu'elle ne peut pas continuer une thérapie avec un psychologue qui la méprise. Je mets en doute les motifs à la base de sa croyance en mon mépris et les raisons qui l'empêcheraient de se sortir de sa dépression MÊME si je la méprisais.

Claudine M. se met finalement au travail. Nous confrontons les idées génératrices d'hostilité, de culpabilité et de dépression qui ont occupé son esprit depuis des années. Elle déclare qu'elle n'admettra jamais que chacun a le droit de se comporter comme il l'entend, que c'est la porte ouverte à l'immoralité, à la débauche, au désordre. Selon elle, le monde se divise en bons et méchants et ces derniers doivent être punis de leurs méfaits. Elle-même est d'ailleurs méchante et ce n'est que juste qu'elle soit déprimée, cette dépression constituant son châtiment pour toute la haine qu'elle nourrit envers les autres. J'attaque rationnellement toutes ces idées à mesure qu'elles se présentent mais toujours de façon indirecte, en demandant régulièrement à Claudine M. sur quoi elle appuie ses dires. Acculée à la contradiction, Claudine M. se fâche, dit que tout cela est bien beau mais en théorie seulement. En partant, avant de prendre rendez-vous, elle ajoute qu'elle dort un peu mieux et fait moins de cauchemars. Nous nous reverrons deux semaines plus tard.

Sixième entrevue: début mars

Cette fois-ci, Claudine M. apporte un cahier dans lequel elle a consigné une dizaine de notes. Elle me dit avec un sourire narquois que même si je la déteste, elle s'en balance et qu'elle est décidée à travailler sur ses idées. Je l'assure également que je la déteste profondément et ne souhaite rien plus ardemment que de la voir guérir pour qu'enfin elle cesse de venir m'importuner. Nous rions tous les deux. Pour la première fois depuis que je la connais, Claudine M. est discrètement maquillée et sa coiffure est plus soignée que d'habitude. Il se passe quelque chose. Compte tenu de son état émotif plus sain, j'attaque avec entrain et humour les idées qu'elle énonce. D'ailleurs, les notes de Claudine M. sont très bien rédigées et elle note qu'elle se sent moins déprimée et moins hostile. Une atmosphère de collaboration commence à régner entre nous deux. Je commence à penser que nous avons traversé la période initiale et que nous allons pouvoir progresser plus rapidement, maintenant que les défenses de Claudine sont moins fortes. Elle se met à me tutoyer, ce que j'interprète comme un autre signe positif. J'aborde le sujet de son inactivité. Claudine M. reconnaît qu'elle s'ennuie beaucoup à la maison et ne sait trop que faire de son temps. Ses enfants (de 15, 14 et 12 ans) n'ont guère besoin d'elle et son mari est absent toute la journée. Elle commence à penser que rien ne l'oblige à rester enfermée toute la journée à broyer du noir. L'entrevue se termine sur une déclaration à l'effet qu'elle va continuer à noter ses idées dépressives et réfléchir à la manière d'organiser sa vie de façon plus active.

Septième entrevue: fin mars

J'ai été absent de mon bureau pendant dix jours, ce qui explique l'intervalle entre cette entrevue et la précédente. Claudine M. arrive à l'entrevue avec un sourire que je ne lui avais jamais vu. Elle a de grandes nouvelles, dit-elle. Et en effet, pendant le mois, elle a entrepris des démarches pour trouver un emploi et, le matin même, on lui en a offert un qu'elle a aussitôt accepté. Elle semble très heureuse de ce résultat, même si l'emploi en question ne correspond pas tout à fait à ce dont elle rêvait. Elle raconte aussi que durant le mois qui s'est écoulé depuis notre dernière rencontre, elle ne s'est sentie vraiment déprimée que trois ou quatre fois au total. Une fois, c'était à la suite d'une dispute avec son mari. Celui-ci, comme il le fait souvent, surtout quand il est fatigué, lui a hurlé quelques insultes. Au lieu de s'affoler comme elle le faisait auparavant et d'éclater en larmes ou, au contraire, de se mettre en rage, elle s'est contenue, se rappelant qu'elle n'était pas une idiote parce qu'il le disait et qu'elle n'avait pas besoin qu'il soit toujours gentil et plein de considérations pour elle.

Cependant, son entraînement à la confrontation devait être encore trop incomplet pour lui permettre de traverser cette période sans se déprimer au moins un peu. Mais ça n'a pas duré, dit-elle, et le lendemain, elle ne se sentait ni abattue ni découragée. Son cahier de notes se remplit graduellement et les arguments avec lesquels elle attaque ses idées irréalistes se multiplient. Elle attend sous peu la visite de sa belle-mère. Celle-ci, semble-t-il, l'a toujours critiquée sans merci, la rendant responsable des malheurs de son fils. Claudine attend cette visite sans beaucoup de plaisir mais aussi sans anxiété notable. Elle ne se sent pas menacée comme auparavant par sa belle-mère. Il est intéressant de noter également qu'elle ne semble plus guère ressentir d'hostilité envers les membres de son entourage. Cela m'apparaît un bon moment pour aborder avec elle ce que j'appelle le complexe de la personne spéciale.

Il arrive souvent qu'une personne qui, de fait, a été maltraitée par son entourage, qui a enduré "plus que sa part", pense-t-elle, des ennuis de l'existence s'imagine ensuite avoir quelque droit à être traitée avec plus d'égards. C'est comme si cette personne pensait: "Maintenant que j'ai supporté toute cette souffrance, la vie doit m'apporter des jours meilleurs. Sinon, c'est injuste." Cette pensée la révolte évidemment. Les gens personnalisent facilement la réalité: ils s'imaginent un être suprême qui est censé distribuer également à chacun sa part de plaisirs et de souffrances. Cette conception relève évidemment de la pure fantaisie et on ne voit pas pourquoi la réalité traiterait plus ou moins durement une personne selon son passé, ses bonnes intentions ou quoi que ce soit d'autre. Quand la pluie tombe, elle tombe autant sur les champs inondés que sur les plateaux desséchés et il n'est pas nécessairement vrai que les malheurs d'une personne lui "méritent" plus tard une vie plus heureuse.

Claudine M. partage un peu cette conception, ce qui explique sa révolte et l'hostilité envers son entourage. Elle comprend mieux cependant que ces émotions lui font dépenser une énergie qu'elle pourrait plus judicieusement utiliser à faire ce qui est en son pouvoir pour modifier les aspects déplaisants ou incommodants de sa vie. Nous abordons maintenant sa relation avec son mari. Quoique moins tumultueuse qu'il y a quelques mois, cette relation pourrait s'améliorer encore beaucoup. J'élabore avec elle une stratégie destinée à amener le mari à se comporter d'une manière plus conciliante. Il s'agit ni plus ni moins de le séduire, à partir du bon vieux principe qu'on attire plus de mouches avec du miel qu'avec du vinaigre. Claudine mentionne que son mari s'intéresse passionnément à tout ce qui de près ou de loin concerne la chasse: armes à feu, littérature cynégétique, etc. Il ne rêve que canards, chevreuils, perdrix. Quant à Claudine, tout cela ne l'attire guère mais elle se rend compte qu'il est possible que, même si elle fait semblant de s'intéresser à ce domaine, il peut constituer un moyen de rapprochement avec son mari. Elle se rebiffe un peu, disant que cela n'est guère authentique, qu'elle devra feindre des sentiments qu'elle ne vit pas vraiment. Je lui rappelle que le mensonge n'est pas interdit, même si son usage demande certaines précautions et que, de plus, son intention n'est aucunement de nuire à son mari mais de manipuler les circonstances de telle sorte qu'il soit porté à avoir envers elle des sentiments plus positifs.

Elle se dit d'accord pour tenter un essai. Comme l'anniversaire de son mari approche, elle compte lui offrir à cette occasion un livre luxueux sur la chasse. Nous prenons rendez-vous pour la mi-avril.

Huitième entrevue: mi-avril

La ruse de Claudine lui a apporté de bons résultats. Son mari s'est déclaré enchanté du livre et s'est empressé de lui témoigner des sentiments plus chaleureux qu'à l'habitude. Encouragée par ce succès, Claudine a continué, de diverses manières, à poser des gestes qui ne lui coûtent rien mais qui plaisent à son mari. Comme il fallait le prévoir, ce dernier réagit positivement, au grand plaisir de Claudine. Elle déclare qu'elle a découvert comment le faire agir à son propre avantage. Elle est, dit-elle, fascinée par le pouvoir qu'elle a sur lui. Elle n'a guère le temps de se sentir hostile et pense que la méthode qui a donné de si bons résultats par rapport à son mari pourrait bien en produire d'excellents sur ses enfants et d'autres personnes. Elle ne semble plus déprimée du tout, si ce n'est qu'elle se sent lasse et un peu triste parfois, sans que cela soit vraiment évident.

Neuvième, dixième et onzième entrevues: de la fin avril à la fin juin

Ces trois entrevues sont consacrées à consolider les acquis de Claudine et à préparer notre séparation. Elle continue à se comporter régulièrement de façon adroite avec les personnes de son entourage, malgré quelques erreurs secondaires dont elle ne se plaint d'ailleurs pas mais dont elle tire plutôt des enseignements utiles. Maintenant que sa dépression est presque complètement disparue, elle acquiert cette faculté si précieuse de mener sa vie de façon empirique, tirant parti même de ses erreurs.

Nos rencontres sont devenues désormais inutiles. Claudine M. me quitte alors que je l'invite à ne pas hésiter à entrer en contact avec moi si elle le juge opportun. Cependant, à moins d'imprévu, il me semble pas que nous nous reverrons bientôt, Claudine M. semblant avoir acquis les instruments qui lui permettront de vivre une vie qui corresponde plus à ses goûts.

Il serait possible d'analyser ici de nombreuses autres situations mais je risquerais de me répéter sans profit. Je peux affirmer que jamais un de mes clients en proie à une dépression d'origine psychologique n'a réussi à se défaire de sa dépression à moins qu'il n'ait confronté ses idées à la réalité et modifié son comportement. Les changements sont à la mesure des efforts dans ces domaines et il est vain de croire que quiconque peut se défaire de sa dépression sans s'engager dans ces deux démarches.

Je redis qu'il est entièrement possible de surmonter une dépression d'origine psychologique à condition de s'attaquer à *ses causes*. Ces causes, comme vous le savez maintenant, ne se trouvent jamais à l'extérieur de nous, dans les événements ou les personnes, mais bien dans notre esprit, dans les croyances, interprétations et conceptions que chacun de nous se fait de ce qui lui arrive.

Chapitre V

Note technique aux intervenants

Les pages qui suivent présentent un court résumé des diverses démarches qu'aurait avantage à suivre un thérapeute professionnel ou non professionnel se disposant à utiliser la thérapie exposée dans ce volume. Il ne s'agit pas d'un traité complet de la relation d'aide, ce qui requerrait un volume entier. Je ne veux ici qu'expliquer sommairement les points principaux d'une démarche thérapeutique; ces pages s'adressent d'abord à des intervenants qui possèdent déjà une formation technique à l'aide psychologique et une expérience au moins élémentaire dans le domaine.

1. La création d'une relation

L'utilisation par un intervenant des techniques cognitives et behavioristes proposées dans ce volume ne le dispense évidemment pas de susciter une relation thérapeutique, ce qui demeure fondamental, quels que soient les principes dont on s'inspire. On peut même dire que l'utilisation de techniques actives comme la confrontation rend encore plus indispensable une relation de confiance entre l'intervenant et le sujet. En effet, même si elle est utilisée graduellement et de façon inductive, la confrontation produit un choc chez le sujet. Cette démarche vient secouer des croyances qu'il tenait jusqu'alors pour évidentes. De plus, la confrontation par l'intervenant ne correspond que rarement à l'image préconçue que se fait le sujet de la relation thérapeutique. Cette image est encore souvent inspirée d'une certaine littérature populaire ou dérivée de modèles proposés par la télévision, le roman ou même les écrits de thérapeutes plus conservateurs.

C'est donc dire que,dès le début de la relation, l'intervenant fera preuve des attitudes les plus appropriées à la création d'une relation solide. Il accueillera le sujet avec une courtoisie et un respect non feints et s'abstiendra de toute démarche que son interlocuteur pourrait interpréter comme un blâme, même voilé. La plupart des sujets confondent initialement leur être et leurs actions, ce qui constitue d'ailleurs une cause de la dépression. Il serait donc maladroit pour le thérapeute de critiquer de quelque manière les comportements du sujet puisque alors il apparaîtra presque fatalement comme juge de ce dernier. On ne saurait prendre trop de précautions sur ce point: la plupart des déprimés s'attendent à être blâmés de leur dépression comme ils s'en blâment d'habitude eux-mêmes. Ils recherchent donc tout ce qui pourrait apparaître même de loin comme un blâme.

Il n'est habituellement pas nécessaire de passer des heures à nouer une relation et certains thérapeutes m'apparaissent exagérément timides sur ce point. Un thérapeute trop timide me semble aussi maladroit qu'un autre trop hardi. Il s'agira d'adapter le rythme à chaque situation. Cependant, la révélation par le sujet de contenus intimes et l'expression non retenue d'émotions considérées comme déshonorantes (surtout la culpabilité) constituent un indice que la relation est bien engagée et que le sujet fait confiance à son thérapeute.

2. Le rôle de l'empathie:

L'identification par le thérapeute des contenus émotifs explicites ou sous-jacents constitue la première étape sur le chemin de la confrontation des contenus cognitifs. À ce titre, elle constitue une étape indispensable.

L'empathie permet d'abord au sujet de se sentir compris. Il en tire habituellement la conclusion qu'il compte assez aux yeux du thérapeute pour que ce dernier se préoccupe de tenter de le comprendre. De plus, l'acceptation par le thérapeute des contenus émotifs identifiés comme tels servira de modèle au sujet et contribuera à consolider la relation thérapeutique.

Cependant, au-delà de ces avantages non négligeables, l'empathie constitue la porte d'entrée privilégiée du monde cognitif du sujet. Si certains éléments de ce monde sont révélés facilement par le sujet, par exemple dans des phrases qui commencent par "Je me suis dit...", d'autres ne sont que rarement communiqués directement. La raison en est qu'ils échappent à la perception consciente du sujet et que ce dernier ne peut donc les révéler que de façon indirecte.

Il est souvent inutile de demander au sujet ce qu'il pense quand il éprouve telle ou telle émotion. Il ne sait que répondre, n'étant habituellement pas conscient du jeu de ses perceptions sur ses émotions. S'il répond autre chose que: "Je ne sais pas", ce qu'il livrera ne sera souvent que l'expression verbale de son émotion et non pas les perceptions causales.

Exemple:

Thérapeute: Que vous disiez-vous quand vous avez ressenti de la colère envers votre fils?

Sujet: Je me disais:"Ah, le petit sacripant! Si je le prends encore à jouer avec mon tourne-disque, il va avoir affaire à moi."

La réponse du sujet exprime une colère déjà présente, suscitée par une pensée qui lui échappe et qu'il ne saurait donc révéler.

Ce sera donc souvent à partir de leurs effets émotifs que le thérapeute parviendra à identifier les éléments qui constituent le monde conceptuel du sujet. Pour y parvenir, il sera indispensable qu'il puisse identifier avec précision les diverses émotions que ce dernier exprime verbalement et non verbalement. Il ne sera pas suffisant pour le thérapeute d'arriver à une identification générale des émotions. Ainsi, par exemple, il vaut mieux que le thérapeute puisse distinguer précisément des émotions apparentées comme la peur et l'anxiété, la tristesse et le désespoir, l'hostilité et la révolte, la culpabilité et le regret, sinon, sa lecture des conceptions sous-jacentes sera aussi confuse que celle qu'il fait de leurs effets, au détriment de son aidé.

On a souvent restreint l'emploi du terme empathie à la saisie des émotions. Pourtant, on ne voit pas pourquoi il ne pourrait pas être utilisé pour désigner également la saisie des contenus cognitifs sous-jacents aux émotions. Le thérapeute qui prétend utiliser la démarche thérapeutique décrite dans ces pages devra être un expert dans ce domaine, sous peine de s'égarer autant que le sujet. On ne s'improvise pas thérapeute dans ce domaine et j'ai personnellement vu des stagiaires en formation n'arriver à saisir clairement ce fonctionnement qu'après des centaines d'heures d'analyse d'eux-mêmes et de leurs clients. La lecture rapide de quelques chapitres d'un livre sur le sujet ne peut guère être considérée comme suffisante pour permettre à l'intervenant d'identifier sans d'interminables tâtonnements les contenus cognitifs du sujet.

C'est dire qu'une formation sérieuse dans ce domaine sera indispensable. C'est par elle que l'intervenant en viendra à acquérir le "flair" qui lui permettra d'arriver à l'interprétation d'idées qui lui échapperaient autrement. Cette formation se déroulera de préférence sous la supervision d'un thérapeute expérimenté quoiqu'il ne soit pas absolument impossible d'arriver seul, par introspection, à une connaissance dans ce domaine.

3. L'art de la confrontation

C'est ici que l'habileté du thérapeute devra être la plus développée. En effet, non seulement devra-t-il formuler clairement les arguments démontrant la fausseté des idées du sujet, mais il devra pouvoir amener ce dernier, de façon inductive, à découvrir lui-même ces arguments. Il s'agit de la méthode dite socratique, par laquelle l'intervenant, par une série de questions judicieusement posées, conduit le sujet à prendre conscience de la fausseté de ses croyances.

Il est toujours tentant pour un nouveau thérapeute de soumettre le sujet à une espèce de prédication par laquelle il lui démontre que ses idées sont fausses. Cette méthode comporte cependant tellement d'inconvénients qu'il vaut mieux l'écarter. D'abord elle laisse le sujet passif et voilà bien la dernière chose qu'on puisse souhaiter dans une démarche thérapeutique dont le succès dépend en très grande partie de l'initiative et de l'activité du sujet.

Deuxièmement, elle peut mettre le sujet sur la défensive. Comme il n'a déjà que trop tendance à se sentir blâmé et à s'enfermer dans une attitude hostile, les sermons risquent de rester lettre morte. De plus, surtout si l'intervenant élabore longuement ses arguments, il risque de perdre l'attention déjà peu prononcée du sujet.

Troisièmement, l'intervenant risque de perdre le contact avec le monde cognitif de son aidé et ses démonstrations, toutes brillantes qu'elles soient, peuvent facilement s'éloigner de ce que le sujet pense vraiment. J'ai vu des stagiaires s'acharner à démontrer la fausseté d'idées que le sujet n'avait pas ou qui ne constituaient qu'une partie secondaire de son système de croyances.

J'en conclus que la méthode socratique, incomparablement plus complexe et difficile à pratiquer, est aussi la plus utile et la plus fructueuse. Elle évite les inconvénients que je viens d'énumérer, surtout en ce sens qu'elle fait continuellement appel à l'activité mentale du sujet. À ce titre, elle constitue pour le sujet un modèle de ce qu'il sera appelé à faire sans la présence de son thérapeute. Le sujet n'a déjà que trop tendance dans certains cas à transformer ses propres confrontations en exhortations et mini-sermons qui sont loin d'avoir l'efficacité d'une démarche rigoureusement critique.

Les intervenants apprennent en général avec difficulté à maîtriser cette méthode fondée sur des interrogations successives. La difficulté principale consiste évidemment à n'escamoter aucun lien logique et à procéder d'une manière si rigoureuse que la compréhension du sujet en est facilitée. À cela bien sûr s'ajoute la nécessité d'utiliser un niveau de langage et un vocabulaire qui soient facilement accessibles au sujet. Tout vocabulaire technique est habituellement à écarter, même avec un sujet qui le comprendrait. En effet, dans de telles situations, le vocabulaire technique peut devenir un refuge derrière lequel les conceptions erronées continuent à s'abriter. La confrontation demeure alors seulement notionnelle, incapable de rejoindre le niveau de conviction du sujet. Nos convictions de base ne s'expriment que rarement en termes abstraits; leur caractère primitif les amène à être énoncées dans le vocabulaire de base, celui de notre enfance. Les "grands mots" ne viennent que plus tard, alors que nous avons déjà appris à nous servir du langage pour berner les autres et nous berner nous-mêmes.

L'intervenant devra se rappeler qu'il vaut mieux que la cible première de ses confrontations inductives demeure les *idées* et *conceptions* du sujet plutôt que l'exactitude des faits que ce dernier rapporte. La confrontation des faits est ordinairement une perte de temps, puisqu'il est presque toujours impossible à la fois pour le thérapeute et le sujet d'arriver à des conclusions démontrables quant aux faits. Ainsi, si Claudette se plaint que son mari ne l'aime pas, la confrontation ne pourra pas dire si, dans les faits, le mari aime ou non sa femme. Le mari lui-même serait incapable de répondre de façon claire à cette question. Il vaudra mieux s'attarder au principe sous-jacent qui fait croire à Claudette que, si son mari ne l'aime pas, cela rend pour elle tout bonheur impossible. Incapable de connaître la vérité quant aux faits, le thérapeute amènera plutôt le sujet à envisager *le pire*, quitte à confronter alors les idées qui naissent à cette occasion.

Quand ils commencent à utiliser la confrontation, beaucoup de thérapeutes passent par une phase où le moindre illogisme ou la plus légère imprécision du sujet fait l'objet de leur attaque. Ils le soumettent ainsi à un mitraillage cognitif qui le laisse pantois. Dans leur ardeur intempestive à dépister les détails, ces intervenants laissent souvent passer des idées irréalistes fondamentales sans les voir. Ils abattent les lapins mais ignorent les éléphants.

Cette méthode est évidemment à déconseiller. Il revient au thérapeute de réserver ces confrontations aux idées irréalistes fondamentales du sujet. Ces idées sont celles qui se trouvent à la base des idées secondaires et qui causent les effets émotifs les plus marqués et les plus dommageables. Ainsi, si Mme Dupuis se sent à la fois triste qu'il pleuve, anxieuse quant à la venue d'un visiteur, coupable de mal élever ses enfants et hostile envers son mari, il serait maladroit d'attaquer d'abord les idées qui causent sa tristesse. Il est probable que les idées fondamentales de Mme Dupuis sont celles qui causent sa culpabilité et peut-être son hostilité.

Quand l'intervenant a commencé à confronter une idée irréaliste de base du sujet, il vaut mieux qu'il pousse sa démarche inductive jusqu'à sa conclusion plutôt que de papillonner d'une idée à l'autre, sans suite logique. Il vaut mieux laisser de côté des idées irréalistes dont la confrontation écarterait d'une démarche systématique et organisée. On pourra toujours y revenir plus tard, si cela apparaît encore utile. Beaucoup d'états émotifs ne sont que transitoires, liés à la présence d'idées fugitives. Il est inutile de consacrer son énergie et ses munitions logiques à ces cibles secondaires. Ce n'est que graduellement que l'aidé acceptera la confrontation comme une démarche positive: sa réaction initiale est souvent négative. Autant, dès lors, ne pas éveiller inutilement ses défenses en foudroyant sans discrétion des idées irréalistes de second ordre.

En tout cela l'intervenant se gardera d'oublier que son objectif n'est pas d'abord de confronter lui-même les idées de son client mais bien d'entraîner celui-ci à faire lui-même cette confrontation. L'utilisation de la méthode socratique favorise beaucoup l'atteinte de cet objectif puisqu'elle stimule l'activité du sujet même pendant l'entrevue.

Quant à son activité entre les rencontres, elle sera au premier plan des préoccupations du thérapeute. En effet, presque aucun progrès thérapeutique ne se manifeste avant que le thérapeute ne mette la main à la pâte et ne commence lui-même à travailler à changer ses idées et, en même temps, ses actions. C'est ce qui permet d'affirmer que la thérapie ne se déroule pas d'abord dans le cabinet de consultation mais bien en dehors de celui-ci, partout où le sujet passe à l'offensive contre ses propres idées irréalistes. Pour cette raison, il ne convient pas de multiplier les rencontres sans raison vraiment sérieuse. Le sujet n'a déjà que trop tendance à croire que son thérapeute va le "guérir" et il serait nuisible de l'aider à entretenir cette illusion paralysante. À moins de crise vraiment marquée, je ne rencontre jamais mes clients plus qu'une fois par semaine, et pas plus de quarante-cinq minutes à la fois. Je déroge à ce principe quand il s'agit de sujets qui doivent parcourir une longue distance pour venir me rencontrer. Je tiens beaucoup à ce que le sujet puisse conclure que le travail de transformation est le sien, que je ne puis que lui enseigner comment s'y prendre pour ensuite superviser ses efforts mais que je ne peux me substituer à lui.

4. Le travail personnel du sujet

C'est donc dire qu'un sujet qui quitterait son thérapeute sans que celui-ci ne lui ait suggéré de commencer ou de continuer à confronter ses idées et de modifier ses comportements ne recevrait pas une aide vraiment efficace. Toute relation d'aide est une relation de collaboration; contrairement à ce qu'on entend souvent, il ne s'agit pas pour le sujet de collaborer avec le thérapeute mais bien de l'inverse. Je ne peux pas aider une personne qui ne fait rien pour elle-même. Ce n'est pas que je ne le désire pas: j'en suis, comme tout autre, radicalement incapable. L'aide est une collaboration apportée à l'action d'un autre. Pas d'action, pas d'aide. Et, par ailleurs, s'il est possible de poser des gestes physiques, *à la place* d'un autre (par exemple: laver un plancher à sa place), il n'en est pas ainsi dans le domaine psychologique. Seul le sujet peut être l'agent principal de la modification de ses idées et de son agir.

Le thérapeute se préoccupe donc continuellement de stimuler l'activité cognitive et le comportement du sujet. Même si on peut établir que le sujet est temporairement capable de peu, qu'il soit stimulé à le faire, ce peu. Le thérapeute suggérera, encouragera, stimulera par tous les moyens qui lui semblent efficaces. Il proposera au sujet l'élaboration de moyens pédagogiques variés: lecture, formulaires divers, graphiques, comptes-rendus. J'encourage aussi beaucoup mes clients à enregistrer sur cassette le contenu de nos rencontres. Le sujet peut ensuite écouter à nouveau ce dont nous avons discuté. S'il s'agit d'une entrevue typique, il m'entendra souvent lui rappeler de prendre lui-même en main crayon et papier pour confronter ses idées, lui suggérer de secouer son inertie et d'introduire du changement dans sa vie.

Il sera important que le thérapeute assiste le sujet dans la formulation de plans d'action réalistes. Il arrive souvent qu'un sujet se propose des objectifs démesurés pour ses forces. Il risque ainsi d'essuyer un échec et les déprimés n'ont pas en général la force psychologique nécessaire pour affronter des échecs répétés. Le thérapeute verra donc à ce que son client choisisse des objectifs qu'il puisse atteindre.

Ce danger guette surtout les sujets qui formulent leurs objectifs en termes trop vagues. Ainsi, des objectifs comme: "Confronter mes idées déprimantes aussi souvent que possible" ou "Être plus patient avec mes enfants" pêchent par manque de précision. Il vaut mieux qu'un sujet confronte ses idées avec la réalité cinq ou dix fois, ou dix minutes par jour, ou encore qu'il se dise qu'à trois occasions, il fera preuve de tolérance et de patience envers ses enfants. Sinon, le perfectionnisme qui affecte beaucoup de déprimés pourra les amener à évaluer comme un échec toute démarche qui n'atteint pas un succès total, s'offrant ainsi à eux-mêmes une nouvelle occasion de découragement et de dépression.

Le thérapeute rencontrera souvent de la résistance de la part du sujet quand il lui suggérera l'usage de garde-fous. L'idée irréaliste qu'il s'agit de récompenses et de punitions est souvent difficile à déloger. Le thérapeute pourra expliquer que récompenses et punitions sont décernées par d'autres, selon leur bon plaisir, alors que le garde-fou procède d'une démarche personnelle où nul autre n'intervient. Encore une fois, le thérapeute se gardera d'insister indûment, laissant plutôt le sujet tirer les conclusions de la non-utilisation de ces moyens. Il rappellera au sujet que,si ce dernier a perdu confiance en lui, c'est probablement parce que, dans le passé, il s'est fait à lui-même toutes sortes de promesses qu'il n'a pas ensuite tenues: on perd confiance en soi de la même manière qu'on perd confiance dans les autres.

Le thérapeute aidera donc la personne à formuler des objectifs de façon graduée et systématique. Beaucoup d'objectifs complexes ne peuvent être atteints que par une démarche ordonnée poursuivie pendant un temps suffisant. Ainsi, ce n'est pas par quelques efforts disparates qu'un timide devient plus ouvert ou un anxieux plus détendu.

Dans tous ces cas, il s'agit de changements d'attitudes, souvent profondément ancrées et qui ne cèdent la place à de nouvelles attitudes qu'à la suite de démarches nombreuses et continuelles. Pour éviter que le sujet ne se décourage devant la minceur apparente des résultats qu'il obtient, on lui montrera comment dresser des graphiques qui lui permettent de représenter la somme cumulative de ses efforts et des résultats qu'ils engendrent.

Malgré toutes les précautions, il arrivera encore souvent que le sujet se décourage et parle de tout abandonner. Le thérapeute demeurera serein devant ces déclarations, contribuant ainsi à faire comprendre que ces épisodes ne sont que des accidents de parcours, presque inévitablement présents et dont il ne convient pas d'exagérer l'importance. On a coutume de répéter que c'est quand la dépression commence à s'estomper qu'il est le plus important d'être vigilant. Cette observation se base sur le fait que le déprimé ressent encore plus cruellement les moments dépressifs de sa vie maintenant qu'il en connaît d'autres où il se sent mieux. Ce sera le moment de l'aider à se souvenir qu'une dépression même forte n'est jamais plus que pénible et que c'est avec le temps que les périodes dépressives laissent place à la sérénité.

5. Les idées et les émotions du thérapeute

Il est clair que le thérapeute est malheureusement tout aussi capable d'être déprimé que son client. Il peut, comme eux, se mettre en tête les idées et croyances qui sont à la base de la dépression. Ce phénomène neutralise presque toute l'efficacité de ses interventions. Parmi les idées qu'un thérapeute ne devrait pas nourrir, citons les suivantes:

1. L'idée qu'il a besoin de l'affection et de l'approbation de ses clients. Cette idée ne peut que générer en

lui de l'anxiété à l'occasion des rejets réels ou imaginaires dont il ne saurait manquer d'être l'objet de leur part. Il n'y a pas de raison objective pour qu'un sujet déteste son thérapeute, du moins si ce dernier se comporte de façon correcte à son égard, mais les déprimés sont rarement très objectifs et font souvent un usage abondant de la projection. S'il ne convient pas que le thérapeute demeure indifférent aux émotions du sujet, il ne convient pas non plus qu'il y attache une importance démesurée. Les sujets ne deviendront que rarement des amis de leur thérapeute: trop d'éléments les séparent habituellement pour que se noue entre eux une relation durable. Que la chose se produise à l'occasion ne suffit pas à l'ériger en règle générale.

Le thérapeute se gardera judicieusement de se laisser aller à la sympathie. Cette émotion, toute "honorable" qu'elle soit, constituerait un handicap sérieux pour son travail. Un thérapeute qui travaille vraiment à aider un déprimé n'a pas le temps de partager les émotions de ce dernier s'il veut vraiment être efficace et ne pas se transformer en loque. Que le sujet souffre, c'est indéniable mais ce n'est pas une raison pour que le thérapeute s'en préoccupe, si cela devait restreindre l'aide qu'il peut apporter à l'autre. Qu'il réserve donc ses épanchements pour le moment où il n'aura plus de contact professionnel avec le sujet, s'il a encore la force et s'il juge encore utile de le faire. On n'en demanderait pas moins à un chirurgien devant procéder à une délicate opération; ce n'est guère le moment pour lui de dépenser son énergie à pleurer sur le sort pénible du patient qu'il opère.

2. Comme presque toujours, c'est dans le domaine des idées concernant sa valeur personnelle que le thérapeute sera surtout vigilant. On demande parfois: n'est-il pas déprimant de recevoir tant de déprimés et de constater avec quelle lenteur se fait souvent leur évolution? Pas du tout, mais encore faut-il que le thérapeute ne mesure pas sa valeur personnelle aux succès que ses efforts suscitent et qu'il ne se qualifie pas d'impuissant quand le sujet n'en finit plus de traîner sa dépression ou qu'il abandonne le contact avec le thérapeute. Travailler avec des déprimés ou quelque autre personne émotivement perturbée est très souvent ennuyeux; après tout, les idées irréalistes ne varient guère d'une personne à l'autre et il devient parfois monotone de passer ses journées en compagnie de personnes qui répètent inlassablement les mêmes insanités. Mais cela ne peut pas être déprimant ni attristant,ni décourageant, ni désespérant, puisque toutes ces émotions ne peuvent être produites que par les idées de celui qui les subit. Il n'en demeure pas moins que le thérapeute aura avantage à se convaincre que rien ne peut affecter sa valeur personnelle, ni les succès qu'il rencontrera ni les échecs qu'il subira. Qu'il s'applique donc à lui-même les arguments qu'il sert à son client et s'il ne réussit pas mieux que ce dernier à étouffer les idées irréalistes qui lui font croire que cette valeur intrinsèque puisse dépendre de son comportement, il vaudrait peut-être mieux qu'il songe à faire autre chose. On ne s'improvise pas thérapeute; la bonne volonté ne suffit pas et c'est après avoir soigneusement confronté ses propres idées dépressives que le thérapeute s'aventurera à tenter de faciliter chez d'autres l'émergence d'une pensée rigou-

reuse et logique qu'il aura d'abord cultivée dans son propre esprit.

3.Le client racontera souvent à son thérapeute des situations pénibles, difficiles. Presque toujours il y pensera comme à des catastrophes ou des horreurs et c'est cette conception qui exacerbera en lui la tristesse, le désespoir et la dépression. Ce ne sera guère le moment pour le thérapeute de partager les idées de son client. Car alors, on ne voit pas comment il pourrait lui être de quelque utilité. Si un thérapeute, surtout professionnel, ne peut offrir mieux que de la sympathie et un regard désolé, qu'il se rappelle que le sujet peut habituellement obtenir gratuitement cette sympathie de son entourage et que c'est finalement l'exploiter que de lui vendre ce que ses amis, ses parents ou le barman du coin lui accorderont sans frais. Et même si le sujet était particulièrement isolé et ne trouvait personne qui veuille l'écouter et entendre le récit de ses malheurs, il me semble que c'est encore l'exploiter que de lui demander des honoraires pour cette *seule* fonction. Si vous ne voulez qu'*écouter* des malheureux, faites-le bénévolement. Cela n'aide guère mais au moins ça ne nuit pas.

Encore une fois, le test final consiste pour le thérapeute à exiger de lui-même une réponse claire à la question suivante: "Si j'étais dans la même situation que mon client, saurais-je mieux que lui me tirer d'affaire et combattre ma dépression?" Si la réponse est "non", que le thérapeute aille pratiquer un autre métier. Si la réponse est floue, il lui en reste encore à apprendre et à intégrer. Ce qui précède pourra sembler exagérément sévère mais, après tout, confieriez-vous la réparation de votre voiture à un garagiste qui ne saurait réparer la sienne?

Tout ceci ne transforme pas le thérapeute en une espèce de mécanique sans âme, un robot raisonneur. Au contraire, sa bonne santé mentale lui permettra de travailler de longues heures sans s'épuiser; elle lui rendra possible l'usage de l'humour, si souvent absent de ces consultations inutilement dramatiques et de celles où la pédanterie du thérapeute rivalise avec le désarroi du sujet.

Le thérapeute n'est ni un saint ni un génie ni un héros. Ses capacités physiques et intellectuelles peuvent être de loin inférieures à celles de certains de ses clients. Mais il est un domaine où il ne saurait être déficient: celui de sa capacité de voir les choses comme elles sont, sans en minimiser ni en exagérer l'importance, sans en déformer la nature ni en escamoter les caractéristiques.

Car, en dernière analyse, c'est ainsi que les hommes s'y prennent pour se troubler émotivement, se rendre anxieux, coupables, tristes, déprimés, hostiles. L'univers dans lequel ils vivent ne génère pas ces émotions. C'est bien eux qui, sans le savoir ni le vouloir, suscitent en eux-mêmes ces émotions par le truchement de leur perception. Comme tous les hommes, les thérapeutes, possèdent cette redoutable capacité. Ils peuvent, eux aussi, s'affoler, s'irriter, se déprimer, s'attrister à propos de n'importe quoi et notamment à propos de leur tâche. Il leur reviendra d'emprunter les sentiers où ils voudront ensuite guider les personnes qui viendront à eux.

Tout le reste m'apparaît au mieux littérature et au pire fumisterie. Ce n'est pas parce qu'il peut citer avec abondance et précision les opinions de divers auteurs sur les causes et les remèdes des états névrotiques ou qu'il a satisfait aux exigences académiques de la faculté de psychologie qu'un être humain est nécessairement un bon thérapeute. C'est bien plutôt parce qu'il a appris à distinguer le vrai du faux, la vérité de l'erreur. C'est bien plutôt parce que considérant la masse de souffrance qui affecte les hommes, il ne s'est pas contenté de déplorer, mais qu'il a tenté de comprendre et de faire ce qui est en son pouvoir pour rendre cette planète un peu plus vivable. C'est bien plutôt parce qu'il a saisi que, de tous les malheurs des hommes, les plus douloureux sont encore ceux qu'ils se font à eux-mêmes.

De tout cela, un thérapeute est conscient,et c'est ce qui à la fois guidera son action et en assurera l'efficacité. Ni meilleur ni pire que quiconque, c'est grâce à cette connaissance de lui-même et des mécanismes qui régissent les hommes qu'il pourra d'abord s'aider lui-même pour ensuite, respectueusement et fraternellement, tenter d'apprendre à d'autres ce qu'il connaît de lui-même.

Annexe

Le cahier de travail

À quelques reprises au cours de ces pages, j'ai mentionné un cahier de travail que vous pouvez utiliser pour vous aider dans votre combat contre vos sentiments dépressifs.

Ce cahier de travail contient un inventaire des manifestations dépressives (IMD) dont vous pouvez vous servir comme d'une espèce de thermomètre pour mesurer le changement de l'état dépressif. Il renferme également des formulaires, des graphiques et d'autres instruments qui peuvent vous être utiles.

Format 22 sur 14 cm, reliure spirale. Demandez-le à votre libraire ou commandez-le directement au *Centre interdisciplinaire de Montréal Inc.*

De plus, le Centre interdisciplinaire de Montréal Inc. offre des services complets de consultation individuelle et de formation à la psychothérapie émotivo-rationnelle. Il abrite également le secrétariat permanent des Ateliers de développement émotivo-rationnel (ADER).

Les Éditions du CIM ont publié *Changer: une psychothérapie à la maison*, de Lucien Auger, un cahier de travail individuel, de même que les enregistrements sur cassettes d'entretiens de Lucien Auger.

Tous les renseignements ainsi que les dépliants concernant les activités du CIM peuvent être obtenus du

Centre interdisciplinaire de Montréal Inc.
5055, av. Gatineau
Montréal, Qué.
H3V 1E4
CANADA
(514) 735-6595

Table des matières

Lithographié au Canada
sur les presses de
Métropole Litho Inc.

Ouvrages parus aux ÉDITIONS DE L'HOMME

sans * pour l'Amérique du Nord seulement
*** pour l'Europe et l'Amérique du Nord**
**** pour l'Europe seulement**

ALIMENTATION — SANTÉ

Allergies, Les, Dr Pierre Delorme
* **Cellulite, La,** Dr Jean-Paul Ostiguy
Conseils de mon médecin de famille, Les, Dr Maurice Lauzon
Contrôler votre poids, Dr Jean-Paul Ostiguy
Diététique dans la vie quotidienne, La, Louise Lambert-Lagacé
Face-lifting par l'exercice, Le, Senta Maria Rungé
* **Guérir ses maux de dos,** Dr Hamilton Hall
* **Maigrir en santé,** Denyse Hunter
* **Maigrir, un nouveau régime de vie,** Edwin Bayrd
Massage, Le, Byron Scott
Médecine esthétique, La, Dr Guylaine Lanctôt
* **Régime pour maigrir,** Marie-Josée Beaudoin
* **Sport-santé et nutrition,** Dr Jean-Paul Ostiguy
* **Vivre jeune,** Myra Waldo

ART CULINAIRE

Agneau, L', Jehane Benoit
Art d'apprêter les restes, L', Suzanne Lapointe
* **Art de la cuisine chinoise, L',** Stella Chan
Art de la table, L', Marguerite du Coffre
Boîte à lunch, La, Louise Lambert-Lagacé
Bonne table, La, Juliette Huot
Brasserie la Mère Clavet vous présente ses recettes, La, Léo Godon
Canapés et amuse-gueule
101 omelettes, Claude Marycette
Cocktails de Jacques Normand, Les, Jacques Normand
Confitures, Les, Misette Godard
* **Congélation des aliments, La,** Suzanne Lapointe
* **Conserves, Les,** Soeur Berthe
* **Cuisine au wok, La,** Charmaine Solomon
Cuisine chinoise, La, Lizette Gervais
Cuisine de Maman Lapointe, La, Suzanne Lapointe
Cuisine de Pol Martin, La, Pol Martin
Cuisine des 4 saisons, La, Hélène Durand-LaRoche
* **Cuisine du monde entier, La,** Jehane Benoit
Cuisine en fête, La, Juliette Lassonde
Cuisine facile aux micro-ondes, Pauline Saint-Amour
* **Cuisine micro-ondes, La,** Jehane Benoit
Desserts diététiques, Claude Poliquin
Du potager à la table, Paul Pouliot, Pol Martin
En cuisinant de 5 à 6, Juliette Huot
* **Faire son pain soi-même,** Janice Murray Gill
* **Fèves, haricots et autres légumineuses,** Tess Mallos
Fondue et barbecue
* **Fondues et flambées de Maman Lapointe,** S. et L. Lapointe
Fruits, Les, John Goode
Gastronomie au Québec, La, Abel Benquet
Grande cuisine au Pernod, La, Suzanne Lapointe
Grillades, Les
* **Guide complet du barman, Le,** Jacques Normand
Hors-d'oeuvre, salades et buffets froids, Louis Dubois

Légumes, Les, John Goode
Liqueurs et philtres d'amour, Hélène Morasse
Ma cuisine maison, Jehane Benoit
Madame reçoit, Hélène Durand-LaRoche
* **Menu de santé,** Louise Lambert-Lagacé
Pâtes à toutes les sauces, Les, Lucette Lapointe
Pâtisserie, La, Maurice-Marie Bellot
Petite et grande cuisine végétarienne, Manon Bédard
Poissons et crustacés
Poissons et fruits de mer, Soeur Berthe
* **Poulet à toutes les sauces, Le,** Monique Thyraud de Vosjoli
Recettes à la bière des grandes cuisines Molson, Les, Marcel L. Beaulieu
Recettes au blender, Juliette Huot
Recettes de gibier, Suzanne Lapointe
Recettes de Juliette, Les, Juliette Huot
Recettes pour aider à maigrir, Dr Jean-Paul Ostiguy
Robot culinaire, Le, Pol Martin
Sauces pour tous les plats, Huguette Gaudette, Suzanne Colas
* **Techniques culinaires, Les,** Soeur Berthe
* **Une cuisine sage,** Louise Lambert-Lagacé
Vins, cocktails et spiritueux, Gilles Cloutier
Y'a du soleil dans votre assiette, Francine Georget

DOCUMENTS — BIOGRAPHIES

Art traditionnel au Québec, L', M. Lessard et H. Marquis
Artisanat québécois, T. I, Cyril Simard
Artisanat québécois, T. II, Cyril Simard
Artisanat québécois, T. III, Cyril Simard
Bien pensants, Les, Pierre Berton
Charlebois, qui es-tu? Benoît L'Herbier
Comité, Le, M. et P. Thyraud de Vosjoli
Daniel Johnson, T. I, Pierre Godin
Daniel Johnson, T. II, Pierre Godin
Deux innocents en Chine Rouge, Jacques Hébert, Pierre E. Trudeau
Duplessis, l'ascension, T. I, Conrad Black
Duplessis, le pouvoir, T. II, Conrad Black
Dynastie des Bronfman, La, Peter C. Newman
Écoles de rang au Québec, Les, Jacques Dorion
* **Ermite, L',** T. Lobsang Rampa
Establishment canadien, L', Peter C. Newman
Fabuleux Onassis, Le, Christian Cafarakis
Filière canadienne, La, Jean-Pierre Charbonneau
Frère André, Le, Micheline Lachance
Insolences du frère Untel, Les, Frère Untel
Invasion du Canada L', T. I, Pierre Berton
Invasion du Canada L', T. II, Pierre Berton
John A. Macdonald, T. I, Donald Creighton
John A. Macdonald, T. II, Donald Creighton
Lamia, P.L. Thyraud de Vosjoli
Magadan, Michel Solomon
Maison traditionnelle au Québec, La, M. Lessard, G. Vilandré
Mammifères de mon pays, Les, St-Denys-Duchesnay-Dumais
Masques et visages du spiritualisme contemporain, Julius Evola
Mastantuono, M. Mastantuono, M. Auger
Mon calvaire roumain, Michel Solomon
Moulins à eau de la vallée du St-Laurent, Les, F. Adam-Villeneuve, C. Felteau
Mozart raconté en 50 chefs-d'oeuvre, Paul Roussel
Nos aviateurs, Jacques Rivard
Nos soldats, George F.G. Stanley
Nouveaux Riches, Les, Peter C. Newman
Objets familiers de nos ancêtres, Les, Vermette, Genêt, Décarie-Audet
Oui, René Lévesque
* **OVNI,** Yurko Bondarchuck
Papillons du Québec, Les, B. Prévost et C. Veilleux
Patronage et patroneux, Alfred Hardy
Petite barbe, j'ai vécu 40 ans dans le Grand Nord, La, André Steinmann
* **Pour entretenir la flamme,** T. Lobsang Rampa
Prague, l'été des tanks, Desgraupes, Dumayet, Stanké
Prince de l'Église, le cardinal Léger, Le, Micheline Lachance

Provencher, le dernier des coureurs de bois, Paul Provencher
Réal Caouette, Marcel Huguet
Révolte contre le monde moderne, Julius Evola
Struma, Le, Michel Solomon
Temps des fêtes au Québec, Le, Raymond Montpetit
Terrorisme québécois, Le, Dr Gustave Morf
* **Treizième chandelle, La,** T. Lobsang Rampa
Troisième voie, La, Me Emile Colas
Trois vies de Pearson, Les, J.-M. Poliquin, J.R. Beal
Trudeau, le paradoxe, Anthony Westell
Vizzini, Sal Vizzini
Vrai visage de Duplessis, Le, Pierre Laporte

ENCYCLOPÉDIES

Encyclopédie de la chasse au Québec, Bernard Leiffet
Encyclopédie de la maison québécoise, M. Lessard, H. Marquis
* **Encyclopédie de la santé de l'enfant, L',** Richard I. Feinbloom
Encyclopédie des antiquités du Québec, M. Lessard, H. Marquis
Encyclopédie des oiseaux du Québec, W. Earl Godfrey
Encyclopédie du jardinier horticulteur, W.H. Perron
Encyclopédie du Québec, vol. I, Louis Landry
Encyclopédie du Québec, vol. II, Louis Landry

ENFANCE ET MATERNITÉ

* **Aider son enfant en maternelle et en 1ère année,** Louise Pedneault-Pontbriand
* **Aider votre enfant à lire et à écrire,** Louise Doyon-Richard
Avoir un enfant après 35 ans, Isabelle Robert
* **Comment avoir des enfants heureux,** Jacob Azerrad
Comment amuser nos enfants, Louis Stanké
* **Comment nourrir son enfant,** Louise Lambert-Lagacé
* **Découvrez votre enfant par ses jeux,** Didier Calvet
Des enfants découvrent l'agriculture, Didier Calvet
* **Développement psychomoteur du bébé, Le,** Didier Calvet
* **Douze premiers mois de mon enfant, Les,** Frank Caplan
Droits des futurs parents, Les, Valmai Howe Elkins
* **En attendant notre enfant,** Yvette Pratte-Marchessault
Enfant unique, L', Ellen Peck
* **Éveillez votre enfant par des contes,** Didier Calvet
* **Exercices et jeux pour enfants,** Trude Sekely
Femme enceinte, La, Dr Robert A. Bradley
Futur père, Yvette Pratte-Marchessault
* **Jouons avec les lettres,** Louise Doyon-Richard
* **Langage de votre enfant, Le,** Claude Langevin
Maman et son nouveau-né, La, Trude Sekely
Merveilleuse histoire de la naissance, Dr Lionel Gendron
Pour bébé, le sein ou le biberon, Yvette Pratte-Marchessault
Pour vous future maman, Trude Sekely
* **Préparez votre enfant à l'école,** Louise Doyon-Richard
* **Psychologie de l'enfant, La,** Françoise Cholette-Pérusse
* **Tout se joue avant la maternelle,** Isuba Mansuka
* **Trois premières années de mon enfant, Les,** Dr Burton L. White
* **Une naissance apprivoisée,** Edith Fournier, Michel Moreau

LANGUE

Améliorez votre français, Jacques Laurin
* **Anglais par la méthode choc, L',** Jean-Louis Morgan

Corrigeons nos anglicismes, Jacques Laurin
* **J'apprends l'anglais,** G. Silicani et J. Grisé-Allard
Notre français et ses pièges, Jacques Laurin
Petit dictionnaire du joual au français, Augustin Turennes
Verbes, Les, Jacques Laurin

LITTÉRATURE

Adieu Québec, André Bruneau
Allocutaire, L', Gilbert Langlois
Arrivants, Les, collaboration
Berger, Les, Marcel Cabay-Marin
Bigaouette, Raymond Lévesque
Carnivores, Les, François Moreau
Carré St-Louis, Jean-Jules Richard
Centre-ville, Jean-Jules Richard
Chez les termites, Madeleine Ouellette-Michalska
Commettants de Caridad, Les, Yves Thériault
Danka, Marcel Godin
Débarque, La, Raymond Plante
Domaine Cassaubon, Le, Gilbert Langlois
Doux mal, Le, Andrée Maillet
D'un mur à l'autre, Paul-André Bibeau
Emprise, L', Gaétan Brulotte
Engrenage, L', Claudine Numainville
En hommage aux araignées, Esther Rochon
Faites de beaux rêves, Jacques Poulin
Fuite immobile, La, Gilles Archambault
J'parle tout seul quand Jean Narrache, Émile Coderre
Jeu des saisons, Le, Madeleine Ouellette-Michalska
Marche des grands cocus, La, Roger Fournier
Monde aime mieux..., Le, Clémence Desrochers
Mourir en automne, Claude DeCotret
N'Tsuk, Yves Thériault
Neuf jours de haine, Jean-Jules Richard
New medea, Monique Bosco
Outaragasipi, L', Claude Jasmin
Petite fleur du Vietnam, La, Clément Gaumont
Pièges, Jean-Jules Richard
Porte silence, Paul-André Bibeau
Requiem pour un père, François Moreau
Si tu savais..., Georges Dor
Tête blanche, Marie-Claire Blais
Trou, Le, Sylvain Chapdeleine
Visages de l'enfance, Les, Dominique Blondeau

LIVRES PRATIQUES — LOISIRS

Améliorons notre bridge, Charles A. Durand
* **Art du dressage de défense et d'attaque, L',** Gilles Chartier
* **Art du pliage du papier, L',** Robert Harbin
* **Baladi, Le,** Micheline d'Astous
* **Ballet-jazz, Le,** Allen Dow et Mike Michaelson
* **Belles danses, Les,** Allen Dow et Mike Michaelson
Bien nourrir son chat, Christian d'Orangeville
Bien nourrir son chien, Christian d'Orangeville
Bonnes idées de maman Lapointe, Les, Lucette Lapointe
* **Bridge, Le,** Vivianne Beaulieu
Budget, Le, en collaboration
Choix de carrières, T. I, Guy Milot
Choix de carrières, T. II, Guy Milot
Choix de carrières, T. III, Guy Milot
Collectionner les timbres, Yves Taschereau
Comment acheter et vendre sa maison, Lucile Brisebois
Comment rédiger son curriculum vitae, Julie Brazeau
Comment tirer le maximum d'une mini-calculatrice, Henry Mullish
Conseils aux inventeurs, Raymond-A. Robic
Construire sa maison en bois rustique, D. Mann et R. Skinulis
Crochet jacquard, Le, Brigitte Thérien
Cuir, Le, L. St-Hilaire, W. Vogt
* **Découvrir son ordinateur personnel,** François Faguy
Dentelle, La, Andrée-Anne de Sève
Dentelle II, La, Andrée-Anne de Sève
Dictionnaire des affaires, Le, Wilfrid Lebel

* **Dictionnaire des mots croisés — noms communs,** Paul Lasnier
* **Dictionnaire des mots croisés — noms propres,** Piquette-Lasnier-Gauthier
Dictionnaire économique et financier, Eugène Lafond
* **Dictionnaire raisonné des mots croisés,** Jacqueline Charron
Emploi idéal en 4 minutes, L', Geoffrey Lalonde
Étiquette du mariage, L', Marcelle Fortin-Jacques
Faire son testament soi-même, Me G. Poirier et M. Nadeau Lescault
Fins de partie aux dames, H. Tranquille et G. Lefebvre
Fléché, Le, F. Bourret, L. Lavigne
Frivolité, La, Alexandra Pineault-Vaillancourt
Gagster, Claude Landré
Guide complet de la couture, Le, Lise Chartier
* **Guide complet des cheveux, Le,** Phillip Kingsley
Guide du chauffage au bois, Le, Gordon Flagler
* **Guitare, La,** Peter Collins
Hypnotisme, L', Jean Manolesco
* **J'apprends à dessiner,** Joanna Nash
Jeu de la carte et ses techniques, Le, Charles A. Durand
Jeux de cartes, Les, George F. Hervey
* **Jeux de dés, Les,** Skip Frey
Jeux d'hier et d'aujourd'hui, S. Lavoie et Y. Morin
* **Jeux de société,** Louis Stanké
* **Jouets, Les,** Nicole Bolduc
* **Lignes de la main, Les,** Louis Stanké
Loi et vos droits, La, Me Paul-Émile Marchand
Magie et tours de passe-passe, Ian Adair
Magie par la science, La, Walter B. Gibson
* **Manuel de pilotage**
Marionnettes, Les, Roger Régnier
Mécanique de mon auto, La, Time Life Books
* **Mon chat, le soigner, le guérir,** Christian d'Orangeville
Nature et l'artisanat, La, Soeur Pauline Roy
* **Noeuds, Les,** George Russel Shaw
Nouveau guide du propriétaire et du locataire, Le, Mes M. Bolduc, M. Lavigne, J. Giroux
* **Ouverture aux échecs, L',** Camille Coudari
Papier mâché, Le, Roger Régnier
P'tite ferme, les animaux, La, Jean-Claude Trait
Petit manuel de la femme au travail, Lise Cardinal
Poids et mesures, calcul rapide, Louis Stanké
Races de chats, chats de race, Christian d'Orangeville
Races de chiens, chiens de race, Christian d'Orangeville
Roulez sans vous faire rouler, T. I, Philippe Edmonston
Roulez sans vous faire rouler, T. II, le guide des voitures d'occasion, Philippe Edmonston
Savoir-vivre d'aujourd'hui, Le, Marcelle Fortin-Jacques
Savoir-vivre, Nicole Germain
Scrabble, Le, Daniel Gallez
Secrétaire bilingue, Le/la, Wilfrid Lebel
Secrétaire efficace, La, Marian G. Simpsons
Tapisserie, La, T.M. Perrier, N.B. Langlois
* **Taxidermie, La,** Jean Labrie
Tenir maison, Françoise Gaudet-Smet
Terre cuite, Robert Fortier
Tissage, Le, G. Galarneau, J. Grisé-Allard
Tout sur le macramé, Virginia I. Harvey
Trouvailles de Clémence, Les, Clémence Desrochers
2001 trucs ménagers, Lucille Godin
Vive la compagnie, Pierre Daigneault
Vitrail, Le, Claude Bettinger
Voir clair aux dames, H. Tranquille, G. Lefebvre
* **Voir clair aux échecs,** Henri Tranquille
* **Votre avenir par les cartes,** Louis Stanké
Votre discothèque, Paul Roussel

PHOTOGRAPHIE

* **8/super 8/16,** André Lafrance
* **Apprendre la photo de sport,** Denis Brodeur
* **Apprenez la photographie avec Antoine Desilets**
* **Chasse photographique, La,** Louis-Philippe Coiteux
* **Découvrez le monde merveilleux de la photographie,** Antoine Desilets
* **Je développe mes photos,** Antoine Desilets

* **Guide des accessoires et appareils photos, Le,** Antoine Desilets, Paul Taillefer
* **Je prends des photos,** Antoine Desilets
* **Photo à la portée de tous, La,** Antoine Desilets
* **Photo de A à Z, La,** Desilets, Coiteux, Gariépy
* **Photo Reportage,** Alain Renaud
* **Technique de la photo, La,** Antoine Desilets

PLANTES ET JARDINAGE

Arbres, haies et arbustes, Paul Pouliot
Automne, le jardinage aux quatre saisons, Paul Pouliot
* **Décoration intérieure par les plantes, La,** M. du Coffre, T. Debeur

Été, le jardinage aux quatre saisons, Paul Pouliot
Guide complet du jardinage, Le, Charles L. Wilson
Hiver, le jardinage aux quatre saisons, Paul Pouliot
Jardins d'intérieur et serres domestiques, Micheline Lachance
Jardin potager, la p'tite ferme, Le, Jean-Claude Trait
Je décore avec des fleurs, Mimi Bassili
Plantes d'intérieur, Les, Paul Pouliot
Printemps, le jardinage aux quatre saisons, Paul Pouliot
Techniques du jardinage, Les, Paul Pouliot
* **Terrariums, Les,** Ken Kayatta et Steven Schmidt

Votre pelouse, Paul Pouliot

PSYCHOLOGIE

Âge démasqué, L', Hubert de Ravinel
* **Aider mon patron à m'aider,** Eugène Houde
* **Amour, de l'exigence à la préférence, L',** Lucien Auger

Caractères et tempéraments, Claude-Gérard Sarrazin
* **Coeur à l'ouvrage, Le,** Gérald Lefebvre
* **Comment animer un groupe,** collaboration
* **Comment déborder d'énergie,** Jean-Paul Simard
* **Comment vaincre la gêne et la timidité,** René-Salvator Catta
* **Communication dans le couple, La,** Luc Granger
* **Communication et épanouissement personnel,** Lucien Auger

Complexes et psychanalyse, Pierre Valinieff
* **Contact,** Léonard et Nathalie Zunin
* **Courage de vivre, Le,** Dr Ari Kiev

Dynamique des groupes, J.M. Aubry, Y. Saint-Arnaud
* **Émotivité et efficacité au travail,** Eugène Houde
* **Être soi-même,** Dorothy Corkille Briggs
* **Facteur chance, Le,** Max Gunther
* **Fantasmes créateurs, Les,** J.L. Singer, E. Switzer

Frères — Soeurs, la rivalité fraternelle, Dr J.F. McDermott, Jr
* **Hypnose, bluff ou réalité?,** Alain Marillac
* **Interprétez vos rêves,** Louis Stanké
* **J'aime,** Yves Saint-Arnaud
* **Mise en forme psychologique, La,** Richard Corriere et Joseph Hart
* **Parle moi... j'ai des choses à te dire,** Jacques Salomé

Penser heureux, Lucien Auger
* **Personne humaine, La,** Yves Saint-Arnaud
* **Première impression, La,** Chris. L. Kleinke
* **Psychologie de l'amour romantique, La,** Dr Nathaniel Branden
* **S'affirmer et communiquer,** J.-M. Boisvert, M. Beaudry
* **S'aider soi-même,** Lucien Auger
* **S'aider soi-même davantage,** Lucien Auger
* **S'aimer pour la vie,** Dr Zev Wanderer et Erika Fabian
* **Savoir organiser, savoir décider,** Gérald Lefebvre
* **Savoir relaxer pour combattre le stress,** Dr Edmund Jacobson
* **Se changer,** Michael J. Mahoney
* **Se comprendre soi-même,** collaboration
* **Se concentrer pour être heureux,** Jean-Paul Simard

* **Se connaître soi-même,** Gérard Artaud
* **Se contrôler par le biofeedback,** Paultre Ligondé
* **Se créer par la gestalt,** Joseph Zinker
Se guérir de la sottise, Lucien Auger
S'entraider, Jacques Limoges
Séparation du couple, La, Dr Robert S. Weiss
* **Trouver la paix en soi et avec les autres,** Dr Theodor Rubin
* **Vaincre ses peurs,** Lucien Auger
* **Vivre avec sa tête ou avec son coeur,** Lucien Auger
Volonté, l'attention, la mémoire, La, Robert Tocquet
Votre personnalité, caractère..., Yves Benoit Morin
* **Vouloir c'est pouvoir,** Raymond Hull
Yoga, corps et pensée, Bruno Leclercq
Yoga des sphères, Le, Bruno Leclercq

SEXOLOGIE

* **Avortement et contraception,** Dr Henry Morgentaler
* **Bien vivre sa ménopause,** Dr Lionel Gendron
* **Comment séduire les femmes,** E. Weber, M. Cochran
* **Comment séduire les hommes,** Nicole Ariana
Fais voir! W. McBride et Dr H.F.-Hardt
* **Femme enceinte et la sexualité, La,** Elizabeth Bing, Libby Colman
Femme et le sexe, La, Dr Lionel Gendron
* **Guide gynécologique de la femme moderne, Le,** Dr Sheldon H. Sherry
Helga, Eric F. Bender
Homme et l'art érotique, L', Dr Lionel Gendron
Maladies transmises sexuellement, Les, Dr Lionel Gendron
Qu'est-ce qu'un homme? Dr Lionel Gendron
Quel est votre quotient psycho-sexuel? Dr Lionel Gendron
* **Sexe au féminin, Le,** Carmen Kerr
Sexualité, La, Dr Lionel Gendron
* **Sexualité du jeune adolescent, La,** Dr Lionel Gendron
Sexualité dynamique, La, Dr Paul Lefort
* **Ta première expérience sexuelle,** Dr Lionel Gendron et A.-M. Ratelie
* **Yoga sexe,** S. Piuze et Dr L. Gendron

SPORTS

ABC du hockey, L', Howie Meeker
* **Aïkido — au-delà de l'agressivité,** M. N.D. Villadorata et P. Grisard
Apprenez à patiner, Gaston Marcotte
* **Armes de chasse, Les,** Charles Petit-Martinon
* **Badminton, Le,** Jean Corbeil
Ballon sur glace, Le, Jean Corbeil
Bicyclette, La, Jean Corbeil
* **Canoé-kayak, Le,** Wolf Ruck
* **Carte et boussole,** Björn Kjellström
100 trucs de billard, Pierre Morin
Chasse et gibier du Québec, Greg Guardo, Raymond Bergeron
Chasseurs sachez chasser, Lucien B. Lapierre
* **Comment se sortir du trou au golf,** L. Brien et J. Barrette
* **Comment vivre dans la nature,** Bill Riviere
* **Conditionnement physique, Le,** Chevalier-Laferrière-Bergeron
* **Corrigez vos défauts au golf,** Yves Bergeron
Corrigez vos défauts au jogging, Yves Bergeron
Danse aérobique, La, Barbie Allen
* **En forme après 50 ans,** Trude Sekely
* **En superforme par la méthode de la NASA,** Dr Pierre Gravel
Entraînement par les poids et haltères, Frank Ryan
Équitation en plein air, L', Jean-Louis Chaumel
Exercices pour rester jeune, Trude Sekely
* **Exercices pour toi et moi,** Joanne Dussault-Corbeil
Femme et le karaté samouraï, La, Roger Lesourd
Guide du judo (technique debout), Le, Louis Arpin
* **Guide du self-defense, Le,** Louis Arpin
* **Guide de survie de l'armée américaine, Le**
Guide du trappeur, Paul Provencher
Initiation à la plongée sous-marine, René Goblot

* **J'apprends à nager,** Régent LaCoursière
* **Jogging, Le,** Richard Chevalier
Jouez gagnant au golf, Luc Brien, Jacques Barrette
* **Jouons ensemble,** P. Provost, M.J. Villeneuve
* **Karaté, Le,** André Gilbert
* **Karaté Sankukai, Le,** Yoshinao Nanbu
Larry Robinson, le jeu défensif au hockey, Larry Robinson
Lutte olympique, La, Marcel Sauvé, Ronald Ricci
* **Marathon pour tous, Le,** P. Anctil, D. Bégin, P. Montuoro
Marche, La, Jean-François Pronovost
Maurice Richard, l'idole d'un peuple, Jean-Marie Pellerin
* **Médecine sportive, La,** M. Hoffman et Dr G. Mirkin
Mon coup de patin, le secret du hockey, John Wild
* **Musculation pour tous, La,** Serge Laferrière
Nadia, Denis Brodeur et Benoît Aubin
Natation de compétition, La, Régent LaCoursière
Navigation de plaisance au Québec, La, R. Desjardins et A. Ledoux
Mes observations sur les insectes, Paul Provencher
Mes observations sur les mammifères, Paul Provencher
Mes observations sur les oiseaux, Paul Provencher
Mes observations sur les poissons, Paul Provencher
Passes au hockey, Les, Chapleau-Frigon-Marcotte
Parachutisme, Le, Claude Bédard
Pêche à la mouche, La, Serge Marleau
Pêche au Québec, La, Michel Chamberland
Pistes de ski de fond au Québec, Les, C. Veilleux et B. Prévost
Planche à voile, La, P. Maillefer
* **Pour mieux jouer, 5 minutes de réchauffement,** Yves Bergeron
* **Programme XBX de l'aviation royale du Canada**
Puissance au centre, Jean Béliveau, Hugh Hood
Racquetball, Le, Jean Corbeil
Racquetball plus, Jean Corbeil
** **Randonnée pédestre, La,** Jean-François Pronovost
Raquette, La, William Osgood et Leslie Hurley
Règles du golf, Les, Yves Bergeron
Rivières et lacs canotables du Québec, F.Q.C.C.
* **S'améliorer au tennis,** Richard Chevalier
Secrets du baseball, Les, C. Raymond et J. Doucet
Ski nautique, Le, G. Athans Jr et A. Ward
* **Ski de randonnée, Le,** J. Corbeil, P. Anctil, D. Bégin
Soccer, Le, George Schwartz
* **Squash, Le,** Jean Corbeil
Squash, Le, Jim Rowland
Stratégie au hockey, La, John Meagher
Surhommes du sport, Les, Maurice Desjardins
Techniques du billard, Pierre Morin
* **Techniques du golf,** Luc Brien, Jacques Barrette
Techniques du hockey en U.R.S.S., André Ruel et Guy Dyotte
* **Techniques du tennis,** Ellwanger
* **Tennis, Le,** Denis Roch
Terry Fox, le marathon de l'espoir, J. Brown et G. Harvey
Tous les secrets de la chasse, Michel Chamberland
Troisième retrait, Le, C. Raymond, M. Gaudette
Vivre en forêt, Paul Provencher
Vivre en plein air, camping-caravaning, Pierre Gingras
Voie du guerrier, La, Massimo N. di Villadorata
Voile, La, Nick Kebedgy

Imprimé au Canada/Printed in Canada